LE LIVRE DU VOYAGE

Né en 1961 à Toulouse, Bernard Werber a publié sa première nouvelle dans un *fanzine* à l'âge de 14 ans. Après avoir été pendant dix ans journaliste scientifique dans les plus grands *news magazines* français, il se consacre à l'écriture romanesque.

Dès son premier livre, *Les Fourmis*, ce jeune écrivain s'est imposé comme un maître original d'un nouveau style de littérature, à cheval entre la saga d'aventures, le roman fantastique et le conte philosophique. *Le Jour des fourmis*, publié deux ans plus tard, traduit en vingt-deux langues, a obtenu le Grand Prix des lectrices de *Elle* et le Grand Prix des lecteurs du Livre de Poche 1995. *La Révolution des fourmis* est venu clore cette trilogie. Bernard Werber a même été mis au programme de certaines classes de français, philosophie et... mathématiques.

Il a également publié : *Les Thanatonautes*, *L'Empire des anges* et *Le Père de nos pères*.

DU MÊME AUTEUR

BERNARD WERBER

Le Livre du Voyage

ALBIN MICHEL

Bonjour.

Je me présente

Je suis un livre et je suis vivant.
Je m'appelle « Le Livre du Voyage ».
Je peux, si vous le souhaitez, vous guider
pour le plus léger, le plus intime, le plus
simple des voyages.
Hum...
Puisque nous allons vivre quelque chose de
fort ensemble,
permets-moi tout d'abord de te tutoyer.

Bonjour, lecteur.

Tu me vois.

Je te vois aussi.

Tu as un visage lisse aux yeux humides.

Et moi je te présente ces pages de papier recouvertes de petits caractères qui forment ma figure pâle.

Notre contact s'est aussi établi au niveau de la couverture.

Je sens tes doigts contre mon dos,
tes pouces contre mes deux tranches.

Ça me chatouille un peu, d'ailleurs.

Il est temps de pousser plus loin les présentations.

Je m'appelle « Le Livre du Voyage », mais tu peux aussi m'appeler :

« Ton livre. »

Renonce à me mettre une étiquette et prends-moi tel que je suis.

Un livre de voyage.

La particularité de ce voyage, c'est que tu en es le héros principal.

Tu l'as déjà été.

Mais c'était jusque-là, comment dire, plus... indirect.

On ne te l'avait pas signalé mais :

Jonathan Livingstone du roman de Richard Bach c'était déjà toi.

De même que le Petit Prince de Saint-Exupéry, l'homme qui voulut être roi de Kipling, le prophète de Khalil Gibran, le messie de *Dune* et Alice au pays des merveilles de Lewis Carroll.

Ces héros étaient, encore et toujours, toi.

Mais ce n'était pas ouvertement exprimé.

Moi, « Le Livre du Voyage », je n'ai pas cette pudeur ou cette délicatesse.

Au risque de te choquer, je ne te donnerai qu'un nom :

« Toi. »

Car toi seul accomplis quelque chose ici et maintenant :
la lecture.

Et puis, tu es aussi le maître de ce voyage, mon maître.

Durant cet envol, moi, je ne serai là que pour te servir et être ton petit guide d'encre et de papier.

Dans mes pages, tu ne trouveras pas toutes les métaphores habituelles, ni les personnages que tu rencontres dans les romans ordinaires.

Tu ne pourras pas te prendre pour le chef des pirates, le roi des marécages, le maître des lutins, le magicien de la forêt, le banni de retour, le savant incompris, le détective alcoolique, le musicien génial, le mercenaire solitaire.

Tu ne pourras pas te prendre non plus pour la princesse charmante, la mère courageuse, l'infirmière espionne, la reine des fantômes, la déesse manipulatrice, l'étudiante fleur bleue, la femme vampire, la prostituée au grand cœur, l'actrice déchue, la sorcière géniale ou l'ethnologue solitaire. Tu ne pourras te prendre que pour toi-même.

Désolé.

Je crois qu'un bon livre est un miroir où tu te retrouves.

Dans mes pages, tu ne rencontreras pas non plus de ces somptueux méchants qu'on rêve de voir décapiter à la fin, tripes fumantes à l'air, en expiation de leurs crimes ignobles.

Pas de traître inattendu.

Pas d'amis décevants.

Pas de tortionnaire sadique.

Il n'y aura pas de vengeance spectaculaire, ni de coups de théâtre inattendus, aucun innocent à libérer, aucune cause désespérée à défendre devant des jurés sceptiques, pas d'assassin à découvrir parmi une liste de suspects, aucun trésor enfoui à déterrer avant que la bombe à retardement branchée sur la minuterie du four à micro-ondes ne se déclenche.

Il faudra que tu t'y fasses.

Il n'y aura pas de ces drames d'amour poignants, qui finissent bien ou mal selon les humeurs personnelles de l'auteur et ses démêlés avec sa dernière muse.

Il n'y aura pas non plus de ces longues phrases tarabiscotées qui sont très décoratives mais dont on ne démêle pas très bien le sens.

Des petites phrases courtes te transmettront l'information telle quelle.

Comme ça.

Ou ça.

Je peux même faire encore plus court, tiens :

Ça.

Et chaque fois on reviendra à la ligne.

Lis-moi comme un conte.

C'est ainsi que je serai le plus caressant à tes pupilles.

Certes, je sais que je ne suis qu'un objet.

Pourtant, il ne faut pas que tu me sous-estimes.

Parfois les objets peuvent venir en aide aux êtres dotés de conscience.

Parfois les objets sont vivants.

Je suis ton livre ET je suis vivant.

Je ne suis formé que de fines tranches de cellulose provenant des forêts norvégiennes.

Ces mots ne sont que des signes tracés à l'encre de Chine extraite de quelques pieuvres asiatiques malchanceuses.

Cependant, la manière dont ils sont agencés pour former des phrases et la manière dont ces phrases peuvent chanter à tes oreilles sont capables, non seulement de changer ta perception de cet instant,

mais de te changer toi et donc de changer le monde.

À partir de maintenant je te propose de me percevoir non plus comme un long déroulement de mots et de virgules,

mais comme une voix.

Écoute la voix du livre.

Écoute ma voix.

Bonjour.

Selon ta manière de m'appréhender, je peux être rien.

Juste un morceau de carton et de papier pratique pour caler les armoires.

Je peux être beaucoup si tu le désires.

Quelque chose que tu pourras consulter sans cesse où que tu sois.

Quelque chose qui ne te laissera jamais ni seul ni sans sortie de secours.

Un ami de papier.

À toi de choisir ce que tu feras de moi.

Si j'ai un conseil à te donner : profite,
abuse de moi.

Mon seul souhait est de te faire du bien.

Mais si tu n'es pas capable de recevoir mes bienfaits,
ne t'inquiète pas,
même si tu ne m'accordes aucune importance,
même si tu me déchires, me brûles, me noies,
même si tu m'oublies dans une bibliothèque,
je suis doué d'ubiquité ; ailleurs, quelqu'un saura m'apprécier et profiter de mes largesses.

Le fait de m'avoir acheté te donne, certes, des droits.

Le fait d'exister auprès de milliers d'autres gens, sans limites d'espace et de temps, me donne des pouvoirs que tu ne peux même pas mesurer.

Je suis ton compagnon, humble et hyper-puissant.

Veux-tu du grand voyage dont je t'ai parlé ?

Ton contrat

Si tu veux continuer avec moi, il va nous falloir passer un contrat.

Tu attends de moi que je te fasse rêver.

J'attends de toi que tu te laisses complètement aller et que tu abandonnes un moment tes soucis quotidiens.

Si tu n'es pas prêt, mieux vaut nous séparer tout de suite.

Si tu te sens mûr pour sceller ce contrat, il va falloir que tu accomplisses un geste.

Un tout petit geste de rien du tout mais qui pour moi aura valeur d'engagement.

Tu tourneras la page quand tu auras lu la phrase : *Alors... tu y vas ?*

Si tu accomplis cet acte, je considère le contrat signé.

Ne t'engage que si tu souhaites
très fort qu'il se produise
quelque chose entre nous.

Ce qui arrivera ensuite ne dépend que de toi.

Je vais te suggérer une odyssée, mais toi seul pourras lui permettre d'exister.

C'est ta volonté de te faire plaisir qui en sera le moteur.

C'est ton imagination qui bâtira les décors suggérés par mes mots.

C'est ta capacité à comprendre les autres qui tissera la psychologie des personnages.

Je ne suis qu'un assistant.

Un infime guide au voyage.

Si tu tournes la page, on tente l'expérience ensemble.

Alors... tu y vas ?

Merci de ta confiance.

Bien.

Il faut tout d'abord te préparer au voyage.

Nul besoin de valise, de passeport, de lunettes de soleil, de crème solaire, de maillots, mais comme pour décoller en avion il va te falloir choisir : une piste dégagée, et un instant propice.

Ton lieu de décollage

Le lieu où tu vas me lire sera un lieu de quiétude.

Il faut que cet endroit soit rempli de bonnes ondes.

C'est peut-être ton appartement, un café, une bibliothèque, ton lieu de travail, ton lieu de vacances.

Ou bien un wagon de métro, un bus,
un train, un avion ou un bateau.
Cet endroit doit être suffisamment éclairé,
suffisamment aéré, suffisamment silen-
cieux pour que tu l'oublies.
Passons maintenant au siège.

Ton siège

Il faut trouver un fauteuil confortable, où
aucun muscle ne sera froissé, aucune arti-
culation tordue, où il n'y aura plus dans ton
corps la moindre tension.
Un hamac serait l'idéal, ou un divan rem-
bourré dans lequel tu t'enfoncerais complètement.
Ou le moelleux d'un gazon fraîchement
coupé.

Ou un lit tiède.

Dans ce dernier cas, fais bien attention à ce que tes pieds soient parfaitement bordés.

Pas de courants d'air sur les orteils.

Si ton compagnon ou ta compagne de lit tient à coller ses pieds glacés contre ta peau : refuse énergiquement.

Si il (ou elle) n'obtempère pas, insiste, menace, sois ferme, parle-lui de ses parents qui t'ennuient le week-end, des corvées ménagères mal réparties, du tube de dentifrice pas rebouché et de ses affaires qui traînent partout.

Je ne suis pas là pour semer la zizanie dans ton couple mais je considère que tu n'as pas non plus à te laisser dominer.

Tu as droit à une heure de quiétude, ne serait-ce qu'une fois dans ton existence.

Une heure durant laquelle personne ne te réclamera rien, personne ne te menacera de rien, personne ne viendra parasiter ton esprit avec ses soucis.

Une heure de tranquillité.

Pour me lire.

Zut !

Je suis un livre, mais je suis aussi une maîtresse, ou un amant exclusif durant les moments où nous fusionnons.

Après ma lecture tu fais ce que tu veux, mais quand tu es avec moi, j'exige
ton attention.

Sois attentif.

Si tu n'as pas assez de courage pour affronter le partenaire de tes nuits, ou les fâcheux auxquels tu t'es, bon gré mal gré, habitué, ce n'est pas grave, referme-moi,
il n'est pas encore trop tard,
je te libère de ton contrat.

Il y a des tas d'autres livres qui ne te demandent rien et se laissent lire dans les situations les plus inconfortables.

Il y a même des livres qui ne te demandent qu'une seule chose : être achetés.

Même pas lus, juste achetés.

Si tu as poursuivi ta lecture jusqu'ici, il est temps de te libérer de tes dernières entraves.

Quitte tes entraves

Tout d'abord ôte tes chaussures, ta ceinture, ta montre, tes bagues, tes bijoux et tout ce qui te pèse sur l'épiderme.
Tes boucles d'oreilles te grattent?
Enlève-les.
Ton piercing rouille?
Enlève.
Il y a des moustiques?
Utilise une moustiquaire.
Tu as froid, tu as chaud?
Règle la température au mieux et ne reprends la lecture que lorsque tu te sentiras bien.
Décroche le téléphone et débranche la sonnette de la porte.
Éteins la télé.
Oublie les actualités, c'est trop démoralisant.
Attends que les enfants soient couchés.
Range leurs jouets qui traînent dans le salon, ça fait désordre.

Débarrasse la table.
Empile la vaisselle sale dans l'évier.
Crache ton chewing-gum.
Éteins ta cigarette et vide le cendrier pour
ne pas subir l'odeur du tabac froid.
Tu n'as même pas besoin de musique.
Tu vas voir, c'est moi qui produirai de la
musique dans ta tête.
Je suis assez puissant pour occuper tous
tes sens.
Comme ça, juste par le pouvoir grandiose
des mots.
Apprécie cette éphémère tranquillité que tu
t'es aménagée.
Détends-toi encore.
Il faut que tu saches que, chaque fois que tu
tourneras une page, nous franchirons
une étape supplémentaire,
pour que tu sois encore plus détendu
et pourtant encore plus conscient.
Bientôt des images vont venir.
Si cela peut t'aider, ferme les yeux
quelques instants pour mieux les voir.
Respire un grand coup, ça va commencer.

Ton corps s'apaise

Voilà.

Pense à ton corps.

Au moins une fois dans ta vie, pense à ton corps.

Sens ta respiration devenir plus fluide, telle une vague te balançant d'avant en arrière.

En avant, tu inspires.

En arrière, tu expires.

Quand tu inspires, visualise le sang qui surgit de tes extrémités, qui remonte les capillaires, les veines, les artères, jusqu'à ton cœur.

Milliers de ruisseaux rouges qui se transforment en petits fleuves moutonnant.

Ton cœur les aspire.

Effet de pompe.

Ça pulse.

Quand tu expires, perçois ton cœur qui repousse le sang vers tes poumons.

Tout le stress et le gaz carbonique ressortent à travers ton souffle.

Ça fuse.

Inspire.

Expire.

Nettoie ton sang.

Charge-le d'air pur. Charge-le d'énergie.

Inspire.

Expire.

Ton corps n'est plus que cette vague
souple et lente qui te berce mollement.

En avant.

En arrière.

Ta mâchoire se décrispe.

Tes paupières battent plus lentement.

Tu te détends encore un peu plus.

Maintenant que tu es apaisé
tu vas profiter de cet instant de totale
relaxation pour t'envoler.

Ton envol

Imagine un rayon de lumière qui part de ton nombril.

Sens ce rayon d'énergie qui chauffe ton ventre et monte vers le plafond.

Laisse-toi guider par ma voix.

Là, je suis là, à côté de toi, et je ne te quitte pas.

Tout va bien.

Laisse ton esprit se détacher de ton corps.

Comme un papillon se libérant de son enveloppe de chenille.

Imagine-le, ça suffit.

Tu n'as pas à avoir peur, il ne s'agit pas d'un vrai décollage, mais d'une simple escapade de l'esprit.

Tu restes quoi qu'il arrive « le maître de ce livre »,

et donc de tout ce qui pourra s'y passer.

Strictement de tout.

Quand ce sera fini, tu te souviendras de chaque instant.

Il n'y a rien de grave dans ce voyage.
Nous sommes juste deux copains en balade.
Tu me suis ?
Alors viens, mon lecteur.
Sens ton esprit doucement s'affranchir
de ton corps.
Regarde-toi de l'extérieur.
Regarde le type qui lit un livre :
C'est toi.
Et l'autre qui le regarde :
C'est aussi toi.
C'est ça le vrai détachement.
Quand on s'observe de l'extérieur.
Dégage-toi complètement de celui qui lit.
Deviens un esprit léger, transparent,
immatériel.
Viens.
Agrippe-toi au rayon de lumière qui part de
ton ventre.
Ce sera notre ascenseur.
Tu montes le long de ce rayon.
Bravo.
Tu vois, ce n'est pas plus compliqué que ça.
Ton esprit est tellement puissant

qu'il peut se permettre d'accomplir
beaucoup de choses auxquelles
tu n'avais pas pensé.

Hé, continue de monter pendant qu'on
parle, ne t'arrête pas !

Regarde tout en bas le « toi » en train de
lire, tu vois, il n'est pas du tout gêné par
ton évasion spirituelle.

Il lit.

Et toi tu voles.

C'est parfait.

Élevons-nous.

Si un plafond te barre la route n'aie pas
peur.

Ton esprit le traversera sans effort.

De même que l'appartement de ton voisin
du dessus, et son corps, son chien, sa
femme, son réfrigérateur, son plafond, tes
autres voisins et le grenier.

On monte encore.

Nous voici sur le toit.

Tu te débrouilles pas mal pour un premier
décollage.

28

Tu vois, ton esprit peut tout.

Le problème, c'est que, en général, tu ne l'utilises pas assez.

Alors moi, je vais t'aider à explorer quelques-unes de ses possibilités
les plus étonnantes.

Tu me demandes pourquoi tu n'utilises pas assez ton esprit ?

Entre nous, je pense que c'est parce que tu te sous-estimes.

En fait, tu te prends pour quelqu'un d'ordinaire.

C'est une question de confiance en toi.

Peut-être qu'avant moi personne
ne s'était soucié de relever ce qu'il y a
de plus intéressant chez toi.

Je crois que vous, les humains, vous êtes tous un peu jaloux les uns des autres, alors vous ne vous incitez pas mutuellement à montrer vos meilleurs côtés.

C'est plutôt « le clou qui dépasse attire le marteau ».

En fait de dépassement, nous voici bien assez haut.

Observe tout en bas ta maison, le lieu où tu es en train de me lire.

Drôle d'impression, hein ?

Envoie de là-haut une onde bienfaisante à ton corps matériel.

Dis à ton corps que tu ne seras pas long, que tu reviens bientôt, dis-lui de continuer à respirer tranquillement.

Ce n'est qu'une promenade d'une petite heure.

Ça y est ?

Bon, ce n'est pas tout, mais on continue de monter.

LE MONDE DE L'AIR

Ton voyage dans le ciel

Tout est bleu clair et blanc autour de nous.
Tu entends une musique sur un accord
de *do*.
Les instruments sont essentiellement des
instruments à vent.
Orgues, flûtes, cors. Cela fait penser un peu
à du Bach.
À force de monter, on est très haut dans le
ciel.
Là, on est assez haut.
Tu peux lâcher le rayon de lumière.
Lâche, tu ne tomberas pas.
Je te l'ai déjà dit, ce n'est que ton esprit
qui voyage.
Il n'y aura pas de dommages.
Quoi ? Tu veux des ailes ?

Si ça peut te rassurer!

Regarde à gauche et à droite sur tes épaules, oui, ces longs trucs souples ce sont des ailes.

C'est très pratique.

Vas-y, agite-les rapidement, ça te maintiendra en altitude.

Hum... pour toi ces ailes sont trop petites.

Je vais donc te transformer un peu.

Voyons, tends tes ailes, je vais te faire du sur mesure.

Je te transforme en aigle transparent.

Tss... Ce n'est pas suffisant.

Tant pis! je ne lésine pas : hop! je te transforme en albatros transparent.

Cette fois, ça devrait aller.

Tu as belle allure ainsi.

Ce corps est peut-être plus lourd et vire moins vite que celui des aigles,

mais il va te permettre d'effectuer de longs vols planés et de monter plus haut dans le ciel.

L'albatros est le vaisseau idéal des nuages.

Allez, vole.

Apprécie d'être rien qu'un instant, par l'esprit, un oiseau.

Sens tes ailes.

Sens ton envergure.

Sens la caresse du vent sur tes rémiges souples.

À l'avant de ton visage, ton bec translucide, rigide et aérodynamique, fend l'azur.

Sens l'air frais sur la courbe de ton ventre lisse.

Avoue que cela valait le déplacement...

Allez, brasse et monte plus haut
dans le ciel.

Quelle sensation de liberté, hein ?

Goûte le silence des altitudes.

Tous les oiseaux volent en silence comme toi.

Il n'y a pas de moteur qui bourdonne et vibre, pas de toile qui claque sous la pression du vent.

Il suffit d'étendre tes membres antérieurs.

Mets un peu de poids sur ton aile gauche.

Tu as vu ? Tu vires automatiquement !

Mets un peu de poids sur ton aile droite.

Joli mouvement.

Tu peux accomplir toutes les figures aériennes acrobatiques que tu souhaites, il n'y a strictement aucun risque de t'écraser.

Voilà. Pas mal.

Il me semble que tu deviens à l'aise dans ta peau d'albatros.

Je suis assez impressionné.

Je pensais que tu serais plus long à t'y faire.

Oui, bien sûr, je sais qu'on peut voler à l'envers.

Oui, la tête en bas aussi.

Pff... Ça vient pour la première fois voler dans le ciel et ça croit tout inventer...

Mets un peu de poids vers l'avant.

Tu as vu? Ça fait un piqué.

En arrière? Un looping.

Redresse le cou pour parachever ta courbe.

Soigne ta trajectoire.

Essaie d'être beau quand tu voles.

Allez viens, on va commencer par monter sur les nuages.

Tu es au-dessus des nuages.

Tu as vu?

Les nuages sont extraordinaires, ils forment
un plancher de coton.
Tu peux y laisser traîner les pattes.
Devant, tu vois le soleil rougeoyant posé sur
ces nuages comme une pastèque immense
sur une table sans fin.
C'est beau vu d'ici, non?
Les nuages, tu ne l'avais jamais remarqué,
ont leur langage.
Un langage de formes en mouvement.
Une perpétuelle recherche de la forme
idéale.
Les nuages.
Les rayons rouge orangé du soleil couchant
se reflètent sur le duvet transparent
de ton visage et sur les plumes
de tes longues ailes.
Tout en bas, le vent a joué avec le plancher-
nuages et y a laissé un accroc.
Tu vois à travers ta toute petite ville
et tu la salues.
Allez, on bouge.
On va vers le soleil avant qu'il ne se couche
complètement.

Cap vers l'ouest.
Rendons visite à la planète.
Rendons visite à « ta » planète.

La tournée des popotes

Tu replies tes ailes transparentes.
Piqué serré. Arrivé en bas, tu reprends ton
assiette et tu te stabilises.
Nous passons au-dessus de l'océan,
étendue noir, vert et bleu marine.
Tu as vu ces îles ? Approchons. Ce sont des
baleines.
Un groupe de baleines blanches.
L'une d'elles lâche de la vapeur.
Je ne sais pas si elles nous ont repérés.
C'est possible.
Tu sais, les baleines sont très sensibles, elles

peuvent percevoir notre présence, intuitivement.

Tiens, écoute-les chanter.

Je crois bien qu'elles nous ont sentis.

Elles s'enfoncent sous l'eau.

Attention, le temps se gâte, une tempête se lève.

Les nuages deviennent anthracite.

En un instant l'océan tranquille devient furieux.

N'aie pas peur, ce n'est que de l'air et de l'eau en mouvement.

Des colonnes d'eau s'élèvent puis laissent retomber des dentelles de mousse.

Avec ces cieux sombres et ces reflets mordorés l'océan a bien changé.

Et tu as vu le petit point là ?

C'est un voilier secoué par la tempête.

À l'intérieur, je ne te dis pas à quel point les navigateurs doivent être malades.

Dire qu'ils rêvaient d'un beau voyage !

Bon, mais il ne faut pas se moquer.

Ils ignorent qu'on peut voyager comme ça, rien que par l'esprit.

Viens, on va leur rendre visite.

Écoute-les : ils se disputent.

C'est un peu normal.

Vous, les humains, dès que vous êtes réunis en un lieu exigu, vous finissez toujours par vous taper dessus.

Non, je ne critique pas, je constate.

Lors d'une réunion des grands livres classiques, il paraît que certains romans ont évoqué la possibilité que vous ne soyez pas des animaux sociaux, mais plutôt des animaux solitaires qui se forcent à être ensemble.

Je n'aime pas tellement les grands livres classiques, ils sont trop institutionnels, trop imbus d'eux-mêmes, mais je dois reconnaître que, parfois, ils ont des trouvailles.

De toute façon, faisant partie des « petits livres marginaux qui n'ont pas voix au chapitre », je ne suis pas invité aux réunions des classiques.

Pourtant, si j'avais pu assister à leurs débats, je leur aurais dit qu'en fait pour moi les humains sont plutôt en voie de socialisation.

Un jour, vous arriverez à vous entendre.

J'en suis persuadé. Il y a quelque chose au fond de vous de très... comment dire... gentil.

J'en discutais encore récemment avec un livre de cuisine (lui non plus ne deviendra jamais un classique), et il me disait que, sur des petites choses, comme préparer un quatre-quarts aux pruneaux (chaque livre a ses propres références), vous étiez capables de beaucoup de coopération.

Allez, éloignons-nous de la tempête.

Nous avons un premier rendez-vous important.

Nous voici au-dessus d'une île au relief tourmenté.

De hautes montagnes nous obligent à prendre de l'altitude.

Ces montagnes chaudes et fumantes émettent une énergie que maintenant tu arrives à discerner.

Des volcans.

À travers leurs laves rougeoyantes et chaudes, tu perçois le sang de la planète Terre.

Gaïa.

Ta planète est vivante et son sang de lave est bouillant.

Tu peux t'approcher de l'un de ces volcans.

Immense, il t'apparaît comme une bouche.

La Terre te parle.

Elle émet un son grave continu que tu ne comprends pas.

C'est un son tellement lourd et subtil que tu ne ressens que ton incapacité à le saisir.

Ce premier rendez-vous avec ta planète
est raté,
mais qu'espérais-tu?

Tout comprendre dès la première rencontre?

Salue donc le volcan et reprends ton vol.

Nous allons vers le continent.

Voilà un port, une immense ville moderne.

Survolons-la.

Les buildings aux angles droits forment d'indestructibles monolithes.

42

Des troupeaux de voitures fébriles foncent puis s'arrêtent aux feux rouges puis foncent à nouveau.

Des troupeaux de piétons, inquiets, foncent puis s'arrêtent aux feux verts puis foncent à nouveau.

Ils se croisent dans les avenues.

Ils se bousculent, se frôlent, s'évitent de justesse.

De là-haut, cela forme comme un réseau sanguin.

Les villes aussi sont vivantes.

Elles suent de tous leurs pores des vapeurs d'essence.

Dans les étages élevés, tu vois des oisifs penchés aux fenêtres, une tasse de café à la main, qui regardent comme toi dans la rue.

Des couples s'embrassent dans les jardins publics.

Des enfants jouent en criant.

Des joggers courent.

En banlieue, d'immenses usines vomissent en cadence des tonnes d'aliments standardisés qu'on entasse dans des camions.

Dans les quartiers résidentiels,
les gens avalent des tranquillisants
pour tenir bon.
D'autres restent le regard fixe devant la télé.
C'est ton monde.
À un coin de rue, une fille est en train de se
shooter à l'héroïne.
Descendons.
Regarde son visage, cette fille est
complètement en fin de parcours.
En fait, elle essaie... de faire comme toi.
De faire sortir son esprit de son corps pour
s'envoler.
Mais elle se trompe de technique.
Elle croit que le poison dans son sang pro-
voquera cette si douce séparation de l'âme
et du corps.
Regarde, son esprit ressemble à une
mouette engluée dans du mazout.
Elle ne peut ni s'envoler
ni même déployer ses ailes.
Va lui parler.
Dis-lui qu'on n'a pas besoin de produits
chimiques.

Dis-lui qu'il suffit simplement de le vouloir
pour pouvoir décoller.

Comment ça, pourquoi je ne lui en parle
pas moi-même?

Mais parce que moi je ne suis qu'un livre.

Je ne peux agir que sur ceux qui me lisent.

Il ne viendrait jamais à l'idée de cette fille
qu'il est possible de trouver un réconfort
dans un livre.

Je te l'ai déjà dit, je ne peux aider que
ceux qui ont envie d'être aidés.

Regarde-la, elle n'a pas envie de s'en sortir,
elle veut simplement fuir.

Viens, reprenons la route.

Le troisième rendez-vous est dans un pays
chaud.

Te voici dans le désert de sable.

Les dunes presque immobiles t'évoquent
une grande nappe blanche posée sur un
océan pétrifié.

C'est beau aussi le désert.

Vent affleurant.

Roses des sables.

Dunes dorées.

Tu rejoins une ville aux maisons blanches.

Là, il y a une procession.

C'est une cérémonie étrange.

Des gens lancent des imprécations.

Ils brandissent des armes.

Ils disent qu'il ne faut lire qu'un seul livre
et aucun autre.

Qu'il ne faut pas penser,
ne pas écouter de musique.

Que les femmes doivent être voilées
et que les filles ne doivent pas
aller à l'école.

Ils brûlent des drapeaux.

Puis ils laissent passer une procession
de gens torses nus qui se flagellent avec
des lanières cloutées.

Je crois qu'eux aussi veulent faire sortir leur
esprit de leur corps.

Ils croient que s'ils martyrisent leur chair,
leur esprit s'y trouvera si mal que, tout
naturellement, il s'en échappera.

Regarde, ils sont tout ensanglantés et ils
continuent de psalmodier des prières.

Dis-leur à eux aussi qu'on peut voler sans se faire souffrir.

Dis-leur qu'il suffit d'y penser.

Je n'aime pas voir la douleur infligée à autrui ou à soi-même.

Viens, partons.

J'ai encore autre chose à te montrer.

Nous sommes maintenant dans un centre de recherches de pointe.

Là, de jeunes ingénieurs décontractés en pull épais, grosses lunettes et chaussures à semelles de crêpe sont en train d'assembler des casques virtuels qu'on branche sur des ordinateurs.

C'est un simulateur de vol pour chasseur de combat.

Grâce à des programmes d'informatique sophistiqués, on peut avoir la sensation de voler dans des paysages artificiels aux couleurs bariolées qui défilent à grande vitesse.

Des avions ennemis surgissent et il faut tous les détruire.

Ils explosent alors en son dolby surround.

Ce n'est pas un centre militaire

mais une usine de jouets.

Des enfants testent les programmes.

Regarde-les, crispés sur la gâchette
de leur joystick.

Ils sont en sueur et complètement surexci-
tés.

Ceux-là aussi m'inquiètent.

Tous ceux qui proposent la même chose que
moi m'inquiètent.

Non, je ne fais pas preuve de possessivité !

Je suis seulement conscient que mon
cadeau est si fabuleux
que beaucoup veulent le plagier.

La drogue. La religion. La connexion des
sens sur un ordinateur.

Trois prix très lourds pour décoller, n'est-ce
pas ?

Tu me demandes s'il faut se méfier de tous
les autres « pourvoyeurs de voyage » ?

J'aurais tendance à te répondre oui.

Pourtant, en toute honnêteté, je dois dire
qu'on ne peut pas non plus systématiser.

Viens, je vais te montrer autre chose.

Nous voici au-dessus d'une réserve d'Indiens navajos.
Tu vois ce qu'accomplit leur chaman ?
Il choisit des plantes hallucinogènes,
il les fume et son esprit s'envole.
Regarde, en s'envolant, l'esprit du chaman se transforme en coyote volant.
Un tel exploit demande une belle éducation.
Cela fait des millénaires que les chamans navajos se transmettent ces secrets.
Tu sais pourquoi ils font ça ?
Non, pas pour la fuite.
Au contraire, pour être utiles à leur groupe.
Le chaman n'est ni un sorcier ni un chef ni un médecin.
Les Navajos considèrent que tous les problèmes de la tribu et des individus proviennent d'une dysharmonie avec le milieu.
Alors, les chamans se transforment en animaux pour plaider la cause des hommes auprès des éléments.
L'esprit du chaman vient vers toi et semble impressionné.
Il te demande comment tu parviens à cela.

Dis-lui la vérité.

Dis-lui que tu n'as pas besoin de drogue.

Dis-lui que ta drogue c'est moi,

« Le Livre du Voyage », et que je te suffis.

Le coyote volant hoche la tête.

« Mais les livres ne sont pas assez puissants ! » émet-il.

Dis-lui que si.

Dis-lui que les livres ont la puissance que leur accorde leur lecteur et que celle-ci peut être sans fin.

Il te dit qu'il ne savait pas que cela pouvait être aussi facile.

Il a longtemps appris, il s'est longtemps exercé avant que son cerveau et son corps sachent utiliser la fumée des herbes comme déclencheur d'envol.

Il te dit qu'il essaie d'en prendre le moins possible mais que sans les herbes il n'y arrive pas.

Il te dit qu'il le regrette,

que, jadis, les grands chamans parvenaient à décoller sans drogue, juste avec des incantations, mais que les pouvoirs chamaniques

ont baissé et que lui a besoin de ce carbu-
rant.

Tu vois ? Je te l'avais dit.

Eh oui ! moi, « Le Livre du Voyage », non
seulement je t'évite de t'intoxiquer mais, en
plus, même sans initiation, je te permets de
réussir ce que n'arrivent à faire que les plus
grands chamans.

Non, ne me dis pas merci, c'est tout naturel.

C'est notre contrat.

Et puis la réussite de ton vol est aussi ma
fierté de livre.

Il est aussi agréable pour moi, en tant
qu'objet, de savoir que j'ai le
pouvoir d'agir sur des êtres vraiment
vivants.

Nous autres, esprits de papier, nous nous
sentons parfois si « futiles ».

Dépêche-toi, je vais te montrer autre chose.

Nous voici au Tibet.

Le Toit du monde.

Tu vois Lhassa, la ville des lamas.

Ici des moines utilisent de longues trompettes.

Elles émettent des sons qui font vibrer l'air alentour.

Ce sont des vibrations graves.

Elles te rappellent la voix de la Terre.

Un groupe de lamas médite dans de vastes salles.

Tu n'as jamais vu autant d'esprits décoller ensemble !

Un vrai envol d'étourneaux transparents.

Au-dessus de la ville, ils forment des rondes.

Visiblement, ils maîtrisent parfaitement l'envol depuis longtemps.

Sans drogue, leurs esprits partent en groupes pour de petits briefings au-dessus des nuages.

Regarde-les. Regarde leurs esprits.

Ils n'ont pas l'impression d'accomplir quoi que ce soit d'exceptionnel.

Pour eux, c'est une routine.

Leurs esprits te voient, te saluent et tu les salues en retour.

Tu descends dans les rues de la ville sacrée.

Des soldats chinois patrouillent dans les rues de Lhassa et emprisonnent des lamas.

Pourquoi font-ils ça, dis-moi ?

Que dis-tu ?

C'est de la politique ?

Pour moi, c'est de la jalousie.

Des gens aussi libres dans leur tête ça énerve les êtres primaires.

C'est mon avis de livre, tu n'es pas obligé de le partager.

Plus loin, des touristes occidentaux essaient de comprendre l'esprit des lamas tibétains.

Ils leur demandent ce qui se passe durant la méditation.

Les lamas rient gentiment.

Comment parler aux autres de l'envol ?

C'est comme si, quand tu auras refermé mes pages, on te demandait ce que tu as ressenti durant ce Voyage.

Que pourras-tu répondre ?

Que tu étais comme dans un sommeil éveillé ?

Que tu étais dedans et dehors simultanément ?

Que tu te laissais bercer par les phrases du livre comme un enfant qui écoute

une histoire avant de s'endormir puis
qui se met à rêver de cette histoire?
Non. Ce n'est pas vraiment ça.
Décidément, à part éclater de rire
je ne vois pas comment tu pourras décrire
cette sensation.
On ne peut pas expliquer le goût salé à
quelqu'un qui ne connaît que le sucré.
Il faut le vivre pour le savoir.
Quittons le Tibet.
Revenons dans les villes modernes.
Te voici dans un appartement où un informaticien en gros pull est en train de fabriquer, grâce à des images de synthèse, des décors poétiques dans lesquels les gens pourront se promener en se branchant simplement sur Internet.
La seule différence avec les informaticiens de tout à l'heure, c'est que dans son programme il n'y a rien à détruire.
Il ne propose qu'une glissade lente dans des paysages exotiques.
Tu es songeur.

Tu ne comprends pas pourquoi je te montre tout ça ?

Pour te faire comprendre que ce voyage est quelque chose que tous les hommes recherchent depuis la nuit des temps.

Et que les mêmes moyens : drogue, religion, technologie de pointe, selon la manière dont on les utilise, peuvent s'avérer bénéfiques ou maléfiques.

Yin, Yang.

Magie blanche. Magie noire.

Je n'ai pas vraiment l'exclusivité de mon rôle de « guide de l'envol ».

Ma particularité est de ne rien te demander en retour.

Seulement un peu de ton temps
et ton attention.

Cela me semble déjà beaucoup.

Et je suis conscient que cette quasi-gratuité peut, en elle-même, sembler suspecte.

Car vous, les humains, vous êtes habitués à payer cher tout ce que vous recevez de bienfaisant, n'est-ce pas ?

Toujours besoin de payer, de se sacrifier,

de souffrir.
Et moi, je te le demande :
Pourquoi n'aurais-tu pas le bon côté,
sans payer,
juste parce que, avec ton imagination, tu es
capable de te l'offrir à toi-même ?

Rencontre avec un sage

Reprenons de l'altitude.
Cette fois-ci, nous allons dans un coin que
moi seul connais.
Regarde.
Cette faille débouche sur un cirque rocheux.
C'est un coin préservé.
Mais ne perdons pas de temps.
Là-haut, au milieu d'un tumulte de pierres,

tu distingues une cascade, un torrent de montagne.

Avance.

Devant nous le torrent dégringole tel un rideau de cristal assourdissant.

Tu hésites face à ce mur d'eau en fureur.

Mais je te conseille pourtant de continuer d'avancer.

Alors, tu distingues vaguement derrière l'eau du torrent une petite lueur.

Tu traverses le torrent et tu découvres une caverne.

Tu reprends ta forme humaine et tu marches vers la source de lumière.

Là, tout au fond, tu trouves un homme en pagne beige assis dans la position du lotus sur un rocher.

Il est immobile.

Il a les ongles très longs ainsi qu'une barbe de plusieurs années et de longs cheveux blancs.

Sur son front un point rouge symbolise le troisième œil.

Il est pratiquement nu mais ne semble pas avoir froid.

Il doit être là depuis très longtemps car son corps semble figé dans cette posture.

Tu approches.

Il sort de sa méditation.

Il ouvre lentement les yeux.

Il te voit et tu le vois.

Tu lui poses la question qui t'a toujours brûlé les lèvres :

« Quel est le sens de la vie ? »

Il te fixe, adopte un air grave.

Il consent à t'accorder un peu d'attention.

Il consent à te répondre.

« La vie n'est qu'une illusion », dit-il enfin.

Tu réfléchis à sa réponse.

Et tu lui dis :

« Non, désolé, la vie n'est pas une illusion. »

Il fronce les sourcils.

Tu lui dis qu'il devrait voyager davantage, ne pas rester enfermé dans sa caverne.

Dehors il y a des gens qui ont prise sur les choses.

Il voit tout à travers le rideau opaque du torrent
et c'est pour cela qu'il croit que la vie n'est qu'une illusion.

Tu lui dis que c'est comme s'il observait en permanence le monde à travers la télévision.

Il te demande ce qu'est la télévision.

Tu lui parles des séries américaines stéréotypées avec rires enregistrés, des soap opéras, des publicités qui te serinent mille fois leurs slogans, des talk-shows où chacun vient étaler ses problèmes personnels.

Le sage semble de plus en plus intéressé par ce que tu lui racontes, et s'avance vers toi.

Tu lui dis que tu t'accommodes finalement très bien de ton ignorance et que c'est elle qui te pousse en avant.

Le doute et la curiosité sont plus forts que la croyance et l'érudition.

Ce sont eux, d'ailleurs, qui t'ont permis de venir ici.

Tu lui dis que tu essaies d'être vide pour

pouvoir être rempli par tout ce que tu découvres.

Il prend une mine hébétée.

Il retient une grimace puis, au comble de l'agacement, te traite de « petit imbécile ».

Signale-lui que tu te sens précisément un « imbécile »,

mais dans le vrai sens étymologique du terme.

Autrefois, « im-bécille » signifiait « qui n'a pas de béquille ».

Un imbécile est quelqu'un qui n'a aucun tuteur, aucun bâton, aucune béquille pour le faire tenir droit.

Il trébuche mais, au moins, il avance, et il avance seul.

Imbécile : c'est en fait le plus beau compliment que tu pouvais recevoir.

Il te regarde différemment.

À cet instant, cher lecteur, tu sais que jamais personne ne pourra mieux que toi découvrir le monde et l'univers.

Toi et personne d'autre.

Tu n'as pas besoin de sage, tu n'as pas

besoin de philosophe professionnel, tu n'as pas besoin de « bon conseiller » ni de ces tartuffes qui étalent leur esprit parce que, précisément,

ils ne savent pas le faire décoller.

Ni dieu ni maître ne te sont nécessaires.

Tu n'as même pas besoin de moi, « Le Livre du Voyage », car ton chemin est unique et tu es le seul à le diriger.

Le sage prend conscience qu'il a soif, qu'il a faim, qu'il a froid et qu'il s'ennuie tout seul dans cette caverne.

Mais tu le laisses là.

Tu te sens léger.

Tu reprends ta forme d'albatros transparent, et nous nous envolons

vers de nouveaux horizons.

LE MONDE DE LA TERRE

Ton terrain

Sous nos corps défile la Terre.
Tout est marron ou ocre avec des zones de prairies vert clair ou vert foncé.
Tu entends une musique
sur un accord de *sol*.
Les instruments sont essentiellement des percussions et des voix humaines. Leur composition fait penser à des chants grégoriens rythmés par des tam-tams africains.
Maintenant nous allons accomplir ensemble quelque chose de très important.
Nous allons chez toi.
Nous ne rentrerons pas dans ton appartement, nous allons dans ton vrai « chez-toi ».
Ton refuge intime.
Là où tu pourras toujours te ressourcer quand ça n'ira pas.

C'est un endroit indestructible.

Qui résiste à tout, même au temps.

C'est un lieu qui n'existe que dans ton esprit, et pourtant il n'en est pas de plus sûr. Il faut savoir que, dès le moment où tu l'auras découvert, tu pourras ensuite y revenir facilement même en état de concentration moindre.

Pour l'instant, je serai un peu comme un agent immobilier venu te livrer la clef.

Ce qu'il y a d'extraordinaire dans ce « chez-toi », c'est que tu vas le fabriquer avec ton imagination et ta capacité de construction.

Il faut tout d'abord une zone dégagée.

Imagine-la, cela suffit.

Ce peut être une plage, un plateau en haut d'une falaise, une colline, une montagne, une plaine, un désert, le centre d'une forêt, une île au milieu d'un océan ou d'un lac.

Choisis, vite.

Nous partons immédiatement.

Étends tes ailes, nous allons examiner tes terres d'en haut.

Regarde bien, nous y voici.

C'est ici chez toi.

Repère le terrain, les arbres, les rochers.

Ton terrain, tes arbres, tes rochers.

Tes plantes, ton herbe, ton ciel.

C'est sur ce terrain que tu vas bâtir ton refuge.

Ton refuge

Ton « refuge » peut prendre toutes les formes que tu désires.

C'est peut-être un château gothique.

Une tanière de terre argileuse.

Une cathédrale aux vitraux multicolores.

Sois l'Architecte de ton refuge.

Les murs sont à ton gré en marbre, en

brique, en jade, en or, en papier, en verre, en acier, en bois, en paille.

Vois ton refuge qui émerge de la terre, telle une immense plante s'épanouissant en accéléré.

Là où il y a des fondations pousse un plancher.

Là où il y a un plancher poussent des murs.

Ne lésine pas sur les moyens.

Chez toi, c'est chez toi.

Pas de limites à la beauté, la solidité, l'excentricité de ton refuge.

Tu peux orner l'extérieur de tours, de tourelles, de gargouilles ou de sculptures érotiques.

Pour la décoration intérieure, pense à des tableaux, des lampes et luminaires divers : torches ou amas de vers luisants.

Pille les musées s'il le faut pour avoir le *nec plus ultra*.

Le plafond de la chapelle Sixtine te semble parfait pour ton salon ?

Prends.

Pour ta salle de billard, quelques Dalí pour-
ront être du plus bel effet.
De même que quelques toiles de Léonard de
Vinci pour l'entrée. Et pourquoi pas du
Jérôme Bosch dans les salles de bains ?
Vas-y, prends.
Ressors maintenant.
Fais le tour de ton refuge à vol d'oiseau.
Examine bien chaque détail.
Tu es enfin chez toi, bon sang !

Chez toi

Regarde de l'extérieur par les fenêtres ce
que rendent les pièces.
Tu peux encore améliorer ton refuge.
N'as-tu jamais rêvé d'avoir une licorne dans
ton jardin ?

Une armée de lutins de quinze centimètres de haut entièrement dévoués à ta protection rapprochée?

Installe un coin de forêt pour que les elfes te rendent visite discrètement le soir.

Les sirènes seront pas mal dans ta piscine olympique, mais pense à leur aménager une tanière aquatique pour qu'elles puissent se cacher.

Tu sais comment sont les sirènes.

Rien de plus timide...

Installe un pigeonnier géant pour que les anges viennent te voir plus souvent.

Voilà, apprécie. Enlève ce qui te semble alourdir l'ambiance.

Quand tu viendras dans ton refuge,

il faut que tu aies toujours l'impression

d'être dans un nid douillet

où tu ne t'ennuieras jamais.

Ton refuge est-il au point? Rien à ajouter?

Bon.

Je te donne la clef unique.

Tu la scrutes. La soupèses.

Tu l'introduis dans la serrure.

Tu ouvres la porte. Tu es évidemment la première personne à venir ici et à franchir ce seuil.

Te voilà enfin chez toi, cher lecteur.

Trompettes !

C'est beau hein ?

Inspecte les lieux.

Tout est exactement comme tu l'as toujours souhaité.

La température est idéale.

Tu respires l'air de ta demeure et tu reconnais des odeurs familières.

Il y règne des odeurs de lait, de gâteau, de rôti, d'encens ou de cire d'abeille que tu connais depuis ta prime enfance.

Même l'odeur de bois des meubles est un repère qui te rassure.

Le bruit de la cheminée avec les bûches qui crépitent.

L'odeur de résine.

Tu vas dans ton bureau.

C'est ton lieu de travail, de réflexion, d'entreprise.

Tous les objets qui traînent sont reconnus, identifiés.

Tu t'assois sur ton fauteuil à ton bureau.

La phrase que tu dois entendre aujourd'hui

Devant toi est posé un grand et lourd album qui ressemble à un grimoire.

Sa couverture est en bois sculpté, ses charnières sont en ferronnerie et ses pages en parchemin usé.

Ouvre-le au hasard.

Une seule phrase est inscrite au milieu de la page de gauche.

C'est la phrase que tu dois lire aujourd'hui.

Cette phrase ne s'adresse qu'à toi,

et c'est grâce à elle que tu vas pouvoir résoudre tes difficultés actuelles.

Cette phrase va t'aider à effectuer un pas.

C'est peut-être un conseil pratique.

Une solution à laquelle tu n'as pas pensé concernant un problème qui te préoccupe.

C'est peut-être le nom d'une personne à laquelle tu n'as pas fait assez attention et qui pourrait s'avérer d'un grand secours.

C'est peut-être un virage complet que tu dois prendre, même s'il te semble pénible.

C'est peut-être quelque chose que tu dois accomplir pour te sentir mieux.

Maintenant cette phrase « utile » est devant toi.

Ferme les yeux vingt secondes et lis-la.

...

Soupèse bien le sens de chaque mot.

Comprends-le en profondeur.

Maintenant prends la grande plume d'oie devant toi et trempe-la dans l'encrier.

Tu vas inscrire à côté, sur la page de droite, ta réponse à la phrase du grimoire.
Ferme les yeux vingt secondes, elle viendra toute seule, d'un coup.

...

Voilà.
Tu connais le problème et sa solution.
Tu ne peux plus les ignorer.
Referme le grimoire.
Sache que chaque fois que tu reviendras dans ton refuge et que tu rouvriras cet ouvrage, il y aura une nouvelle phrase qui te sera adressée.
Elle te permettra de parcourir plus vite et dans de meilleures conditions la prochaine étape de ta vie.
Tu n'auras qu'à fermer les yeux vingt secondes pour lire la phrase.
Tu n'auras qu'à fermer les yeux vingt secondes pour trouver ta réponse.
Si tu veux, tu peux même noter tes phrases sur mes pages pour bien te les rappeler.
Ne t'inquiète pas pour moi.

Je te l'ai dit : je ne suis pas sacré, tu peux faire autant de notes, de dessins, de graffitis, de cornes à mes pages que tu le souhaites.

Revenons dans ton bureau.

Range le grimoire dans le tiroir de la table. Si tu ne veux pas que le bureau de ton monde spirituel soit aussi mal rangé que le bureau de ton monde matériel, prends de bonnes habitudes.

Maintenant regarde l'écrin à ta gauche.

Ôtes-en le cachet de cire.

Ton symbole personnel

À l'intérieur se trouve ton symbole.

Regarde-le.

Tu le vois. Tu le reconnais. Tu le comprends.

Touche-le.

Perçois ses angles, ses courbes, son volume.

Pourquoi a-t-il cette forme particulière ?

Que t'évoque-t-elle ?

Tu prends ton symbole, tu le lèves au-dessus de toi et il se met à irradier très fort comme un petit soleil.

Tu le mets près de ta poitrine,

et tu l'enfonces d'un coup dans ton cœur.

Là, il se met à briller encore plus fort et te fournit une douce énergie.

Tous tes sens voient aussitôt leur sensibilité s'accroître.

Tu n'as pas que cinq sens physiques : vue, odorat, ouïe, goûter, toucher.

Tu es doté aussi de cinq sens spirituels : émotion, imagination, intuition, conscience, inspiration.

Et tous profitent de ton symbole.

L'émotion.

Tes émotions sont mieux canalisées.

Tu ne les laisses plus te submerger comme des vagues déferlantes.

Tu les sens venir, et tu sens que tu peux sur-
fer sur leur cime.

L'imagination.

Ton imagination s'élargit.

Tu quittes les préjugés qui réduisent ton
angle de vision.

L'intuition.

Ton intuition devient fulgurante, tu
apprends à l'écouter avant d'entreprendre
quoi que ce soit.

La conscience.

Tu as conscience de qui tu es.

Tu as conscience de ce que tu fais
à chaque instant.

L'inspiration.

Ton inspiration capte les idées qui s'agglo-
mèrent, tel un grand nuage au-dessus de la
planète.

Nuage qu'on a parfois baptisé « noosphère ».

À l'intérieur les idées se mélangent,
s'hybrident, fusionnent.

Tu apprends que les idées sont comme des
êtres indépendants.

Qu'elles ont leur propre évolution, leur propre sélection, leur propre mutation.

Elles ne sont pas que filles de nos cervelles.

Elles étaient là avant l'humain et seront là après.

Certaines se répandent, d'autres vivent en autarcie.

Certaines se recroquevillent pour ne surgir qu'au meilleur moment.

D'autres planent généreusement pour être saisies par les rêveurs et les artistes.

Désormais, tu sais que toi aussi tu peux cueillir ces idées.

Chaque fois que tu en auras envie, tu pourras aller visiter la noosphère et y puiser ce dont tu as besoin pour créer dans ton domaine privilégié.

Mais n'oublie pas que ces idées ne viennent pas de toi.

Ta créativité consistera à les relier différemment.

Branche-toi sur la noosphère.

Ta mémoire augmente pour stocker les idées, les comparer, les métisser, les faire évoluer dans ton laboratoire spirituel personnel.

Ta capacité d'analyse et de synthèse se développe.

Tu réfléchis plus vite sans t'embarrasser des détails sans importance.

Tu devines les enjeux cachés derrière les apparences.

Comme si on nettoyait les fenêtres empoussiérées de tes perceptions.

Tout devient plus clair, plus léger, plus simple.

Tu sais aller à l'essentiel.

Tu deviens maître de ta pensée.

C'est la force de ton symbole personnel.

Tu le remets dans son écrin.

Tu le refermes, et tu le ranges.

Tu sais que, chaque fois que tu n'iras pas bien, il te suffira d'appeler ton symbole et de le refaire irradier dans ton cœur.

Ton arme

Un long fourreau est accroché au mur, en face de ton bureau.

À l'intérieur se trouve ton arme.

Sors-la.

C'est une épée.

Regarde-la. Examine son pommeau.

Ta devise y est gravée.

Examine sa lame mille fois trempée.

Examine son manche parfaitement adapté à la forme de ta main.

C'est ton épée, dans toute autre main elle perdrait son équilibre.

Elle est légère et pourtant suffisamment forte pour trancher le métal.

Sa lame est fine comme celle d'un rasoir.

Mais tu entends des bruits dehors.

Qui peut oser venir sur ton territoire?

Tu te penches par la fenêtre et tu aperçois un groupe de gens.

Tu les reconnais, ce sont tes amis.

Ils viennent fêter la découverte de ton refuge.

Ta fête

Tu ranges ton épée dans son fourreau et tu descends les rejoindre.

Ils ont organisé une fête devant l'entrée de ton refuge.

Il y a des tables disposées en cercle.

Il y a des plats succulents.

Une musique résonne.

Tu reconnais cette musique, c'est ta musique préférée.

Tout vibre dans cette mélodie.

C'est sur cette musique qui te caractérise si bien que tu prends place sur le siège qui t'est désigné.

Tu lèves les bras et tous tes amis te sourient.

Aujourd'hui il n'y a que les gens qui t'aiment vraiment qui sont venus.

C'est ta fête.

Tu lèves ton verre à leur santé.

Ton ou ta meilleure amie vient te dire qu'ils ont tous apporté un cadeau.

Chacun à tour de rôle se présente devant toi et te le remet.

Tu défais paquets et rubans.

Chaque cadeau est spécial et révèle non seulement la personnalité de celui qui l'offre mais aussi la façon dont il pense te faire le plus plaisir.

Chacun de tes amis explique le sens de son cadeau.

Il y a des œuvres d'art spécialement créées pour toi.

Il y a des objets rares dénichés dans des brocantes.

Ceux qui te les offrent sont allés les chercher très loin

et ils te racontent l'histoire de ces trouvailles.

Chacun te rappelle à l'oreille un bon moment que vous avez passé ensemble.

Moi le livre, en cet instant, je me fais discret.

Je respecte la complicité particulière qui te lie à eux.

Apprécie la chance d'avoir de tels amis.

Certains se saisissent de tam-tams.

Et vous dansez à la manière des peuples des forêts.

Tu fermes les yeux.

Tu te défoules complètement.

Vous chantez spontanément en émettant des sons qui partent du ventre.

Cela ressemble à des chants amérindiens ou à des polyphonies pygmées.

Puis d'autres prennent des binious, des cornemuses, des harpes, des violes et composent une gigue campagnarde délicieusement démodée.

On passe ensuite à des rocks endiablés.

Vous tournez de plus en plus vite.

Puis tout se calme avec des slows langoureux.

Les corps se frôlent, se touchent, se caressent.

Les doigts s'enlacent et se serrent.

Des baisers furtifs glissent entre les danseurs.

La présence tiède de tes amis est comme un grand manteau qui te protège.

Tu sais que ceux-là ne te laisseront jamais tomber.

Pourtant quelqu'un regarde les étoiles, dit qu'il est tard et qu'il doit rentrer.

Les autres lui emboîtent le pas.

Tu veux les retenir encore.

Mais considère plutôt leur retrait comme une preuve d'amitié.

Ils savent que tu dois continuer seul ton parcours pour rencontrer le troisième élément.

Le feu.

Ils ne veulent pas te ralentir dans ton voyage.

Tu les salues un par un
et tu redeviens un oiseau
transparent.

LE MONDE DU FEU

Ton terrain de bataille

Nous nous envolons.
Cette fois-ci non plus dans l'espace, mais
dans le temps.
Le ciel est jaune feu et rouge sang.
La musique se fonde essentiellement sur un
accord en *ré*.
Les instruments sont des instruments
modernes soutenus par des amplis.
Guitare électrique saturée, synthétiseurs
aux sons étranges, basse qui fait vibrer la
cage thoracique, batterie sèche.
En bas, montent en rythme des bruits de
canons et de mitrailles.
Hard rock.
Nous descendons.
Défilent alors les grands champs
de bataille.

Troie assiégée par les Grecs et le cheval de bois qui laisse sortir ses commandos de tueurs, au grand désespoir du roi Priam.

Glaives.

Jérusalem encerclée par les troupes de Nabuchodonosor.

Marathon opposant Grecs et Perses.

Les éléphants d'Hannibal caparaçonnés de bijoux chargent les lignes ennemies, pourfendant les boucliers de leurs ivoires acérés.

Carthage en flammes sous les assauts des catapultes de Scipion le Second Africain.

La forteresse de Massada résiste comme elle peut aux légions romaines, tout là-haut sur son rocher.

Azincourt où les chevaliers français engoncés dans leurs trop lourdes armures attaquent sans adresse les lignes des archers anglais.

Flèches.

La bataille de la grande Armada.

Les navires espagnols obèses tirent de tous leurs flancs des bordées contre des petits bateaux anglais rapides et mobiles.

La prise de la Bastille par la foule parisienne.

Canon.

Austerlitz.

Les charges au sabre contre des lignes de baïonnettes qui scintillent. Le son des tambours et des flûtiaux scande et encourage le travail de tuerie alors que, de loin, les stratèges lorgnent le terrain avec leur longues-vues.

Sébastopol.

La révolte des Taiping en Chine.

La guerre de Sécession américaine.

La guerre des Boers en Afrique du Sud.

Verdun.

Les petits tanks légers aux boulons mal serrés passent au-dessus des lignes de barbelés et tirent sur les soldats à cheval.

Les hommes à moitié enterrés dans les tranchées de boue prennent des allures de taupes.

Mitrailleuses.

La Révolution russe.

La guerre d'Espagne.

Le bombardement de Pearl Harbor.

La bataille de Stalingrad dans la neige, le sang et la rouille.

Orgues à roquettes qui éclairent la nuit en feulant.

Le débarquement en Normandie, les barges qui déversent des soldats courant sur la plage sous le sifflement des balles.

Bombe atomique.

Le champignon s'élevant au-dessus d'Hiroshima.

Nagasaki.

La guerre d'Indochine. La guerre de Corée. La guerre du Vietnam. La guerre des Six-Jours.

La guerre Iran-Irak. La guerre du Golfe.

Les massacres au Rwanda, en Afghanistan...

Les conflits déroulent leur violence.

Partout le feu, les râles, les vautours, l'acier, la boue, les chardons, les rats, les corbeaux.

Nous atterrissons sur un champ de bataille qui ressemble à s'y méprendre à un sol lunaire, avec ses cratères creusés par les obus.

Quelques arbres cassés et sans feuilles agonisent.

Le ciel est jaune et gris, avec des traînées cyan.

L'air s'emplit de relents de fer chaud, de feu et de sang.

À l'horizon, on entend des milliers de soldats s'élancer pour tuer, mutiler, détruire.

Souffle de lance-flammes, de mortiers, de bazookas.

Au milieu des cris et des rafales, les derniers arbres en feu sont comme des torches éclairant ces étranges cérémonies humaines toujours plus spectaculaires, toujours plus dévastatrices.

C'est là que tu as choisi de combattre, en combat singulier,

toutes tes peurs.

Tu enfiles ton armure, ton casque, tu serres ton bouclier dans ta main gauche.

Lutte contre ta peur
de combattre

Le premier de tes adversaires ressemble à
un immense serpent de vingt mètres de
long.
C'est la représentation de ta peur de
combattre.
Tu lèves ta paume ouverte, tu appelles
ton épée.
Elle se place d'elle-même dans ta main.
Le serpent rampe, se soulève, se dresse.
Il est gigantesque.
Tu appelles à ton aide un cheval noir aux
yeux nerveux et à la longue crinière
soyeuse.
Il est caparaçonné de plaques métalliques.
Sur son poitrail, un long éperon.
Sur les flancs des pointes griffues.
Le cheval exhale de l'air bouillant
par les naseaux.
Tu sens toute sa force animale retenue uni-

quement par les rênes que tu serres de la même main que ton bouclier.

Le cheval se cabre, brassant l'air de ses pattes avant.

Tu lèves haut ton épée.

Le serpent géant ouvre sa gueule démesurée et déploie sa langue fourchue.

Sa bouche claque près de ton casque.

Son souffle chaud et fétide te fait chuter de cheval.

Tu te relèves rapidement.

Tu serres ton épée.

Tu te campes bien sur tes jambes et tu lances ton épée dès que sa tête se trouve à portée.

Tu le surprends par des mouvements tournants.

Tu comprends qu'il n'est pas si difficile à vaincre que ça.

Il est à terre.

Du tranchant de l'épée, tu lui coupes la tête.

Tu la soulèves et la brandis vers le ciel.

Tu pousses un cri de victoire.

Voilà, tu n'as plus peur de combattre.

Tu sais que, quel que soit ton adversaire, tu peux te mesurer à lui.

Justement, survient ton deuxième adversaire.

C'est un samouraï muni d'un long sabre noir.

Tu reconnais son visage.

C'est l'être humain qui t'a nui le plus.

Celui que tu retrouves parfois dans tes cauchemars.

Lui, tu as toujours souhaité le terrasser.

Lutte contre ton ennemi personnel

Il est enfin là, face à toi.

Il se moque de toi et te défie de son sabre.

Tu t'empresses de ramasser ton épée, tu la nettoies contre ta cuisse et tu te mets en garde.

Il lance son sabre et te frôle.

Il enchaîne à toute vitesse des coups que tu tentes de parer de ton bouclier et de ton épée.

Tu décides de ne plus subir mais de prendre le dessus.

Il suffit de le décider pour que cela fonctionne.

Tes sens sont en alerte, tu perçois tout très vite.

Tu sais qu'il y a un temps infini entre le moment où ton adversaire a décidé de te lancer un coup et celui où tu le reçois.

Il t'attaque à nouveau.

Mais, désormais, tes parades anticipent chacun de ses coups avec une fraction de seconde d'avance.

Plutôt que de le frapper en retour, tu étudies tranquillement son comportement comme si tu regardais un match de tennis à la télévision.

Tu repères ses habitudes, ses tics, les instants infimes où sa garde est à découvert.

Tu attends l'instant propice.

Tu tournes autour de lui, comme un torero autour d'un taureau.

Occupe le centre.

Ne brise pas les courbes.

Laisse-toi entraîner par tes élans.

N'arrête pas les assauts de face, esquive.

Pense que ton duel se transforme en danse.

Dis-toi que, même si tu perds, ce n'est pas grave.

Apprivoise l'éventualité de l'échec, mais ne renonce pas à l'esthétique du duel.

Tu veux bien perdre, mais en beauté.

Ce ne sont pas tes armes, mais ta capacité à saisir ton adversaire qui peut te donner la victoire.

Ne crains pas de le comprendre au point de commencer à le trouver sympathique.

Aime tes ennemis, c'est le meilleur moyen de leur porter sur les nerfs.

Pourquoi est-il si agressif à ton égard ?

Parce qu'il a peur.

Ce n'est pas lui que tu affrontes mais sa peur maladive.
Étudie-le encore.
Sens en lui le petit enfant qui a peur du loup, qui a peur du noir, qui a peur quand sa maman s'éloigne.
C'est pour ça qu'il t'en veut.
Plutôt que de le combattre, il faudrait l'aider.
Mais tu sens qu'il n'est plus capable d'écouter qui que ce soit.
Tu vas être obligé de l'arrêter.
Quand tu sens l'instant parfait,
accomplis un petit geste.
Un croc-en-jambe suffit.
Il est déséquilibré.
Il tombe.
Cette scène semble se dérouler au ralenti.
Son visage affiche la surprise.
Il continue de tomber.
Il s'en veut de s'être fait avoir aussi stupidement.
Il rejoint enfin le sol.
Vaincu.

Tiens, tu n'y avais pas pensé mais,
naturellement, quand ça ne va plus,
on revient embrasser la terre.
Tu te penches vers lui.
Tu le remercies pour la beauté du combat.
Et aussi pour l'enseignement qu'il t'a
apporté.
Il faut toujours remercier ses ennemis.
Sans eux, tu n'évoluerais pas.

Lutte contre le système

Déjà ton troisième adversaire apparaît.
Il est cubique, titanesque, froid.
Il est doté de chenilles qui écrasent tout.
C'est le système social dans lequel tu es
inséré.
Sur ses tours tu reconnais plusieurs têtes.

Il y a celles
de tes professeurs,
de tes chefs hiérarchiques,
des policiers,
des militaires,
des prêtres,
des politiciens,
des fonctionnaires,
des médecins,
qui sont censés toujours te dire si tu as agi
bien ou mal.
Et le comportement que tu dois adopter
pour rester dans le troupeau.
C'est le Système.
Contre lui ton épée ne peut rien.
Quand tu le frappes, le Système te bom-
barde de feuilles :
carnets de notes,
P.V.,
formulaires de Sécurité sociale à compléter
si tu veux être remboursé,
feuilles d'impôts majorés pour cause de
retard de paiement,
formulaires de licenciement,

déclarations de fin de droit au chômage, quittances de loyer, charges locatives, électricité, téléphone, eau, impôts locaux, impôts fonciers, redevance, avis de saisie d'huissier, menace de fichage à la Banque de France, convocations pour éclaircir ta situation familiale, réclamations de fiche d'état civil datée de moins de deux mois...

Le Système est trop grand, trop lourd, trop ancien, trop complexe.

Derrière lui, tous les assujettis au Système avancent, enchaînés.

Ils remplissent hâtivement au stylo des formulaires.

Certains sont affolés car la date limite est dépassée.

D'autres paniquent car il leur manque un papier officiel.

Certains essaient, quand c'est trop inconfortable, de se dégager un peu le cou.

Le Système approche.

Il tend vers toi un collier de fer qui va te relier à la chaîne de tous ceux qui sont déjà ses prisonniers.

Il avance en sachant que tout va se passer automatiquement et que tu n'as aucun choix ni aucun moyen de l'éviter.

Tu me demandes que faire.

Je te réponds que, contre le Système, il faut faire la révolution.

La quoi ?

LA RÉVOLUTION.

Tu noues alors un turban rouge sur ton front, tu saisis le premier drapeau qui traîne et tu le brandis en criant :

« Mort au Système. »

Je crains que tu ne te trompes.

En agissant ainsi, non seulement tu n'as aucune chance de gagner, mais tu renforces le Système.

Regarde, il vient de resserrer les colliers d'un cran en prétextant que c'est pour se défendre contre « ta » révolution.

Les enchaînés ne te remercient pas.

Avant, ils avaient encore un petit espoir d'élargir le métal en le tordant.

À cause de toi, c'est encore plus difficile.

Désormais, tu as non seulement le Système contre toi, mais tous les enchaînés.

Et ce drapeau que tu brandis, est-il vraiment le « tien » ?

Désolé, j'aurais dû t'avertir.

Le Système se nourrit de l'énergie de ses adversaires.

Parfois il fabrique leurs drapeaux, puis les leur tend.

Tu t'es fait piéger !

Ne t'inquiète pas : tu n'es pas le premier.

Alors, que faire, se soumettre ?

Non.

Tu es ici pour apprendre à vaincre et non pour te résigner.

Contre le Système il va donc te falloir inventer une autre forme de révolution.

Je te propose de mettre entre parenthèses une lettre.

Au lieu de faire la révolution des autres, fais ta (r)évolution personnelle.

Plutôt que de vouloir que les autres soient parfaits,

évolue toi-même.

Cherche, explore, invente.

Les inventeurs, voilà les vrais rebelles !

Ton cerveau est le seul territoire
à conquérir.

Pose ton épée.

Renonce à tout esprit de violence, de vengeance ou d'envie.

Au lieu de détruire ce colosse ambulant sur lequel tout le monde s'est déjà cassé les dents, ramasse un peu de terre et bâtis ton propre édifice dans ton coin.

Invente. Crée. Propose autre chose.

Même si ça ne ressemble au début qu'à un château de sable, c'est la meilleure manière de t'attaquer à cet adversaire.

Sois ambitieux.

Essaie de faire que ton propre système soit meilleur que le Système en place.

Automatiquement le système ancien sera dépassé.

C'est parce que personne ne propose autre chose d'intéressant que le Système écrase les gens.

De nos jours, il y a d'un côté

les forces de l'immobilisme qui veulent la continuité,

et de l'autre, les forces de la réaction qui, par nostalgie du passé, te proposent

de lutter contre l'immobilisme en revenant à des systèmes archaïques.

Méfie-toi de ces deux impasses.

Il existe forcément une troisième voie qui consiste à aller de l'avant.

Invente-la.

Ne t'attaque pas au Système,

démode-le !

Allez, construis vite.

Appelle ton symbole et introduis-le dans ton château de sable.

Mets-y tout ce que tu es : tes couleurs, tes musiques, les images de tes rêves.

Regarde.

Non seulement le Système commence à se lézarder.

Mais c'est lui qui vient examiner ton travail.

Le Système t'encourage à continuer.

C'est ça qui est incroyable.

Le Système n'est pas « méchant », il est dépassé.

Le Système est conscient de sa propre vétusté.

Et il attendait depuis longtemps que quelqu'un comme toi ait le courage de proposer
autre chose.

Les enchaînés commencent à discuter
entre eux.

Ils se disent qu'ils peuvent faire de même.

Soutiens-les.

Plus il y aura de créations originales, plus le Système ancien devra renoncer à ses prérogatives.

Lutte contre les maladies

Et maintenant voici ton quatrième adversaire.

On dirait une armée de petits crabes sombres.

Certains répandent des aphtes, des maux de gorge, des fièvres, des yeux rouges, des brûlures d'estomac, des rhumatismes, des psoriasis.

D'autres provoquent des éternuements, des toux, des glaires, des expectorations, des démangeaisons, des boutons, des palpitations...

Voilà quelques problèmes de santé.

Tu ne pourras les vaincre ni par l'épée,
ni par le sable.

Appelle à l'aide ton système immunitaire.

Alors des milliers de petits crabes beige clair sortent des cavernes de tes narines,
et de ta bouche.

Ce sont tes guerriers d'élite contre les maladies.

Les deux armées s'approchent.

D'un côté les maladies.

De l'autre tes lymphocytes.

Et chaque lymphocyte affronte en duel une maladie.

Encourage-les à distance.

Fais sortir les sentiments rentrés.

N'oublie pas que le mot « maladie » vient de « mal à dire ».

Utilise la complexité de ta chimie interne.

Ton corps sait produire sa morphine, ses anticoagulants, ses désinfectants, ses anti-inflammatoires.

Penses-y.

Tu es peut-être plus fort contre la maladie que tu ne le crois.

Si ton armée ne suffit pas, je vais te proposer une autre tactique.

Bats en retraite.

Et plutôt que de vouloir détruire les maladies, fortifie tes zones saines.

Finalement, certaines maladies, imbattables dans le duel contre tes lymphocytes, s'avèrent incapables de progresser sur des terrains sains.

Là, un rien les achève.

Elles tentent un dernier assaut désespéré.

Alors, tu les massacres toutes en les brûlant avec ta fièvre.

Lutte contre la malchance

Ton cinquième adversaire est la malchance.

C'est une brume grise.

Contre elle tu ne peux vraiment rien faire.

Désolé.

Alors, tu te couches par terre et tu la laisses te recouvrir.

Tu sais que si tu bouges, elle te mordra.

Tu restes immobile, tu ne penses à rien,
tu attends que ça se passe.

La malchance ne te fait pas peur.

Accepte de ne pas toujours vaincre.

Accepte la malchance comme un élément pouvant déterminer l'issue d'un combat.

La malchance n'est pas une ennemie.

Tout comme la pluie, c'est un moyen de mieux te faire apprécier le beau temps.

La malchance permet de te remettre en question et de te faire évoluer.

Accepte ton impuissance devant la malchance.

Fais le gros dos.

Sens-la glisser sur ton corps.

Ici, le vrai guerrier est celui qui sait s'abstenir de combattre.

Le vrai guerrier est aussi celui qui sait perdre.

Même l'échec est indispensable pour te faire avancer.

Lutte contre la mort

Le sixième adversaire, c'est la mort.

En personne.

Elle apparaît comme dans les mythologies, squelette recouvert d'un manteau déchiré.

Elle brandit une grande faux rouillée.

Elle sent la charogne.

Et, derrière le capuchon de son manteau, son crâne aux orbites vides te glace les sangs.

La mort te parle avec une petite voix désagréable et aiguë.

Elle te dit que vous les hommes vous ne savez plus comment la prendre, alors vous faites comme si elle n'existait pas.

Tout tend à faire croire que la nouvelle génération sera exemptée de cette petite « formalité ».

Vous avez tort de la rendre tabou.

La mort dit qu'avant, quand un grand-père mourait, ses petits-enfants voyaient le long dépérissement du vieillard.

De nos jours, le grand-père part pour l'hôpital, et puis on ne le voit plus jusqu'au jour où le téléphone sonne pour signaler que « c'est fini ».

C'est fini quoi ? L'attente des héritiers ? Le stress de savoir qu'il ne va pas bien ? La charge du remboursement du prix de sa chambre à l'hôpital ?

Résultat : plus personne ne sait ce qu'est la mort et, lorsqu'elle arrive, on a peur devant cette grande inconnue.

De même, le cinéma montrant sans cesse des scènes de massacre et d'atrocités, vous finissez par croire que vous êtes vaccinés contre la mort.

C'est du courage en toc.

On n'apprivoise pas la mort.

On peut juste essayer
d'apprendre à la connaître.

Elle concède que quelques sociétés tribales maintiennent un certain cérémonial autour d'elle.

Là-bas, les enfants sont éduqués à l'accepter et à la respecter.

Il y a encore des rites mortuaires.

Tout le village assiste au départ du défunt et le deuil garde un sens.

Mais ces rituels se font
de plus en plus rares.

La mort tend ses phalanges fines et s'apprête à te toucher
Tu frémis.

Mais elle suspend son geste.

Elle veut t'enseigner quelque chose avant de t'emporter.

Elle accuse.

À force de cacher vos dépouilles dans des cercueils hermétiques, les asticots ne peuvent même plus vous manger.

Vos chairs mortes ne fertilisent plus le sol et ne retournent plus au cycle de la nature.

Il faut que les hommes comprennent à quel point ils ont tort de ne pas l'accepter.

La mort veut être reconnue d'« utilité publique ».

Pourquoi ne pas aller dans son sens ?

Prends bien conscience de ta peur de mourir.

Et sublime-la.

Analyse ce qui te gêne dans le fait de disparaître.

Tu as peut-être peur de perdre tes amis, tes amours, tes biens matériels...

Tu as peut-être peur de ne pas avoir réalisé ce que tu devais faire.

Tu as peut-être peur de payer pour ce que tu as fait de mal dans le passé.

Tu as peut-être peur de souffrir.

Tu as peut-être peur d'aller en enfer.

Finalement, ce qui te fait peur dans la mort, c'est que quelqu'un d'aussi important que toi n'existe plus...

La mort s'approche.

C'est le moment ou jamais de lui sortir ton arme secrète :

l'humour.

Tu lui proposes une blague.

La mort, surprise, s'arrête.

On est toujours curieux d'une blague.

Tu lui racontes la meilleure histoire drôle que tu connaisses.

La mort sent un rire monter en elle.

Ce n'est pas la qualité de ton histoire qui lui
donne envie de s'esclaffer,
c'est son côté incongru, en cet instant.
Pour garder sa contenance elle préfère se
retirer.
Tu l'entends pouffer en s'éloignant.
L'humour est plus fort que la mort.

Lutte contre toi-même

Mais voilà ton septième adversaire, et c'est
quelqu'un avec qui tu es obligé de recouvrer
ton sérieux.
C'est le pire adversaire.
Il te ressemble.
Il a tous tes défauts.
Mais il a aussi toutes tes qualités.
C'est toi-même.

Tu as toujours eu des conflits avec toi-même.

Voici une excellente occasion d'y faire face.

Contre toi, tu ne peux te défiler.

Pas de combat à l'épée, ni de joute d'humour.

Il te propose une partie de cartes.

Vous vous asseyez de part et d'autre d'une table.

Il tient un jeu de cartes semblable au tien.

Des images de ton passé ont remplacé les figures habituelles.

Il place ses cartes en éventail, te regarde d'un air gourmand, en choisit lentement une.

La retourne.

Tu revois un souvenir pénible que tu avais essayé d'oublier.

À ton tour de poser une carte.

Il comprend que tu puises dans des instants plus confortables et te contre avec des cartes plus fortes.

Choisis donc tes pires souvenirs.

Mets-toi nu.

Il est obligé de se mettre nu, lui aussi, pour surenchérir.

Ne te fais plus de cadeau.

Sors les cartes représentant tes lâchetés,
tes peurs, ton ingratitude,
ton manque d'attention
à la souffrance des autres, ta fainéantise,
tes traîtrises.

Tu lui exhibes tes pires blessures, dès lors il ne sait plus te contrer.

Il est gêné par le regard libre que tu portes sur toi-même.

Tu lui dis que tu n'as plus rien contre toi, personnellement.

C'est une excellente occasion de te réconcilier avec toi-même.

Il renverse la table et jette le jeu par terre.

Tu lui tends la main et tu lui proposes dans l'avenir d'être son ami et de ne plus rien faire sans un parfait accord entre toi et toi.

Il accepte.

Assez de batailles.

Quittons le monde du feu.

Allons nous rafraîchir un peu.

LE MONDE DE L'EAU

Tu bronzes

Nous voici sur une plage de sable fin et
tiède au bord d'un lac.
Les couleurs sont pastel.
L'eau est turquoise avec des reflets mauves.
Le sable est noir avec des reflets lilas.
Tu entends une musique sur un accord en *la*.
C'est une mélodie essentiellement dominée
par des instruments à cordes : harpe, man-
doline, guitare, violon léger.
On pense à Vivaldi.
Au bord du lac, des flamants roses.
Au centre,
une immense fontaine de marbre blanc.
Tu t'assois pour panser tes plaies.
Dans le monde du Feu tu as beaucoup souf-
fert et beaucoup appris.
Mais ton voyage n'est pas encore terminé.
Tu sens que l'eau du lac est bénéfique
et tu as envie de t'y baigner.
Pas tout de suite.

Tu as mérité un instant de repos.

Tu te débarrasses de ton armure,

bouclier et casque.

Tu lances ton épée en l'air et celle-ci s'envole et va se ranger dans ton refuge.

Tu te déshabilles.

Tu es nu, il ne fait pas froid.

Ton esprit s'apaise.

Tu t'étends sur le sable tiède de la plage.

Tu appelles ton symbole et il quitte son écrin pour venir dans le creux de tes mains.

Tu le glisses dans ton cœur et, à nouveau, tu ressens une grande bouffée d'énergie.

Les fenêtres de tes sens s'ouvrent grand pour laisser entrer toutes les ondes.

Tu étends les bras et les jambes en les écartant légèrement.

Orteils en éventail.

Il fait bon.

Tu respires amplement.

Sens la vague douce dans tes poumons.

En avant.

En arrière.

120

Repos.

Bien-être.

Récupération.

Tu es conscient que ton esprit a accompli beaucoup de choses en peu de temps.

Avoue que tu ne t'en savais même pas capable !

Regarde le lac.

Tu distingues de gros poissons qui sautent hors de l'eau et t'enjoignent de venir te baigner.

Des dauphins.

Tu y vas.

L'eau est tiède. L'eau est salée.

C'est un lac rempli d'eau de mer.

Les dauphins tournent autour de toi.

Vous communiquez par télépathie.

Ils te disent que, jadis, ils étaient des mammifères terrestres, mais qu'ils ont préféré revenir dans l'eau parce qu'on peut s'y mouvoir dans toutes les directions sans la moindre gêne.

Ils te disent que l'eau est un élément de vie prodigieux.

Pas besoin de vêtements,
de maison,
de patrie.
Ils te taquinent et te proposent de jouer avec eux.
Tu leur demandes le secret de leur joie de vivre.
Ils te disent qu'ils rêvent en permanence.
Ils t'expliquent que la moitié de leur cerveau dort pendant que l'autre moitié est active.
Si bien qu'au moment où ils jouent avec toi, ils sont aussi en train de rêver.
Tu leur demandes s'ils ne prennent jamais de vrai sommeil.
Et ils te répondent que non, car, de toute manière, ils ont à la fois besoin d'être sous l'eau et de remonter respirer à la surface.
S'ils restent immobiles en dormant, ils s'asphyxient.
Mais ils te signalent que toi-même, ici et maintenant, tu es comme eux.
Tu es en train de lire de manière active
« Le Livre du Voyage » quelque part sur Terre, dans le réel.

Et ton esprit est en même temps dans le monde de rêves projeté dans le livre.

Prends-en conscience.

Ils te disent que c'est peut-être là l'évolution de l'homme :

devenir capable d'être simultanément

« conscient et rêvant ».

Ils poussent leurs petits cris et se moquent de toi car le seul fait que tu comprennes cette idée fait de toi un mutant.

« Esprit mutant ! » « Esprit mutant ! » te lancent-ils gaiement.

Tu leur rétorques que tu veux bien être « évolutionnaire » mais pas mutant.

Ils affirment que « changer d'esprit » est déjà une évolution biologique.

Un vieux dauphin dit que si, dans 250 000 ans, l'homme ne commet pas de grosses bêtises,

il devrait parvenir à la même évolution.

« Tu fais partie des prototypes des hommes du futur. »

Tous les dauphins éclatent de rire et t'entourent.

« Esprit mutant ! » « Esprit mutant ! »
répètent-ils.

Le plus vieux des dauphins approche pour
te confier le secret de l'évolution.

Il prétend que les chiffres utilisés par les
humains, et qui sont d'origine indienne,
montrent déjà le sens de la vie.

Pour les décrypter, il faut savoir que, dans
le dessin du chiffre,

les courbes représentent l'amour,

les traits horizontaux l'attachement,

les croisements les choix.

« 1 » : c'est le stade minéral.

Un dauphin saute et trace dans l'air, avec
son corps, le chiffre pour que tu visualises
bien sa forme.

Un autre t'explique :

« 1 » ne ressent rien. Il est là.

Il n'y a pas de courbe.

Pas de trait horizontal.

Pas de croisement non plus.

Donc pas d'amour, pas d'attachement,

pas de choix.

Au stade minéral, on est sans pensées.

« 2 » : c'est le stade végétal.

Le dauphin dessine le chiffre en sautant au-dessus de l'eau.

Il y a un trait horizontal en bas.

« 2 » est rattaché au sol.

La fleur est fixée au sol par sa racine et ne peut donc se déplacer. Il y a une courbe dans la partie supérieure, la tige de la fleur.

« 2 » aime le ciel.

La fleur se fait belle, remplie de couleurs et de gravures harmonieuses afin de plaire au soleil et aux nuages.

« 3 » : c'est le stade animal.

Avec ses deux courbes en haut et en bas.

Deux dauphins sautent pour composer les deux boucles.

On dirait deux bouches ouvertes superposées.

Le dauphin approuve :

« C'est la bouche qui embrasse disposée sur la bouche qui mord. »

« 3 » ne vit que dans la dualité : « j'aime-j'aime pas ». Il est submergé par les émotions. Il n'a pas de traits horizontaux, donc pas d'attachement, ni au sol ni au ciel. L'animal est perpétuellement mobile. Il vit dans la peur et dans le désir.

« 3 » se laisse diriger par son instinct,
il est donc l'esclave permanent
de ses sentiments.

« 4 » : c'est le stade humain.
Deux dauphins sautent et se croisent.

« 4 » signifie le carrefour.
Avec le symbole de la croix.

Si on s'y prend bien, le carrefour permettra
de quitter le stade animal pour passer
au stade suivant.

Le dauphin te dit qu'il faut cesser d'être
ballotté par la peur et l'envie.

Sortir du « j'aime-j'aime pas » et du
« j'ai peur-je désire ».

Atteindre le « 5 ».

« 5 » c'est l'homme spirituel. L'homme évolué.
Il a un trait horizontal en haut qui le rattache au ciel.

Il a une courbe dirigée vers le bas.
Il aime ce qu'il y a en dessous : la Terre.
C'est le dessin inversé du 2.

Le végétal est cloué au sol.

L'homme spirituel est cloué au ciel.

Le végétal aime le ciel.

L'homme spirituel aime la terre.

Le prochain objectif de l'humanité sera de libérer l'homme de ses réactions émotionnelles.

Voilà pourquoi il t'appelait :

« L'esprit mutant. »

Et le « 6 » ?

Le dauphin te dit qu'il est trop tôt pour en parler.

Tous les dauphins composent un ballet nautique pour dessiner les chiffres.

1... 2... 3... 4... 5...

Ils répètent :

« Esprit mutant. » « Esprit mutant. »

Tu nages avec eux.

Vous tournez autour de la vasque de marbre.

Et, soudain, devant l'île, il y a un remous.

Quelque chose se soulève.

Une silhouette humaine surgit de l'eau et grimpe sur la berge.

Cette personne, tu la reconnais.
C'est la personne, homme ou femme, qui est
faite pour toi.

Rencontre avec la personne qui t'est destinée

Il n'y a pas besoin de vous présenter,
vous vous connaissez depuis longtemps.
Elle est tout ce que tu as toujours cherché.
Tu admires chacun de ses traits.
Son regard.
Son sourire.
Cette manière de se tenir.
Cette tranquillité d'esprit qui rejoint celle
que tu as en ce moment précis.
Tu apprécies son parfum.
Tu aimes la chaleur de sa voix,
tu la rejoins.

Tu la touches à l'épaule.

Et son contact provoque une petite décharge électrique.

Sa peau est douce et ferme.

Tu lui demandes qui elle est.

Elle préfère te dire qui tu es « toi ».

Elle te parle de toi et tu es étonné
qu'elle en sache autant sur tes secrets
les plus intimes.

Elle prend un petit air mutin qui te fait fondre.

Elle te dit qu'elle apprécie autant tes qualités que tes défauts.

Elle te signale qu'elle-même n'est pas une perfection.

Elle est « l'imperfection adaptée à ta propre imperfection ».

Ensemble, vous êtes complets.

Elle te parle de cette théorie antique qui prétend que, jadis, les êtres humains avaient deux têtes, quatre bras, quatre jambes et qu'ils ont été séparés.

« Depuis, on est tous à la recherche de notre moitié perdue », dit-elle.

Tu l'enserres.

Vous vous embrassez longuement.

Vos corps se touchent et reforment cet être complet de quatre bras, quatre jambes, deux têtes.

Autour de vous, les dauphins bondissent gaiement.

Puis elle se dégage pudiquement et t'éclabousse en riant.

Tu hésites, puis tu l'éclabousses en retour.

Vous jouez comme des enfants.

Soudain elle s'arrête, redevient sérieuse.

Vous vous séparez.

Vos doigts se frôlent une dernière fois.

Elle te dit qu'il est temps de continuer ton chemin et de suivre les dauphins.

Tu insistes pour qu'elle reste avec toi.

Elle te fait clairement comprendre que les êtres humains ne sont pas des biens
à posséder.

Il faut laisser les gens venir et repartir
à leur gré.

Même elle?

Surtout elle.

La plus grande preuve d'amour que tu puisses lui donner est de lui laisser sa liberté.

Tu es déçu comme la première fois où ta maman t'a laissé seul.

Tu es déçu comme la première fois où tu as compris que le monde et toi étiez différenciés.

Elle ajoute que tu la retrouveras plus tard, ailleurs, peut-être dans le réel.

Si c'est inscrit dans les étoiles...

Mais, pour l'instant, tu dois poursuivre ta route.

Au sud du lac, il y a un passage aquatique souterrain et nous nous y enfonçons, guidés par les dauphins.

À l'entrée, il y a beaucoup de coraux jaunes, d'algues orange, d'anémones rouges.

Les dauphins te montrent le chemin.

C'est tout droit. Tu iras seul.

Tu nages.

Devant toi, il n'y a plus que la roche.

Elle devient lisse et rose.

En progressant dans le goulet, tu te diriges vers ton passé.

Rencontre avec ton passé

D'abord, tu visites ta collection de souvenirs pénibles que tu as essayé d'oublier mais que tu ne crains plus désormais de regarder en face.

Tu les affrontes un à un.

Les humiliations.

Les injustices.

Les incompréhensions.

Les abandons.

Les trahisons.

Les malveillances des autres à ton égard.

Tu comprends pourquoi tu as réagi ainsi à l'époque.

Et comment tu aurais pu réagir mieux.

Tu t'aperçois que certaines situations

pénibles se reproduisent régulièrement dans le même enchaînement précis d'événements.

Tu comprends que c'est toi qui te débrouilles pour, dans ces situations précises, aboutir à ce résultat précis.

Tu enregistres les scénarios d'échec et tu analyses froidement, scientifiquement, avec détachement, à quel endroit tu t'es trompé. À quel moment tu as baissé les bras.

Tu en déduis comment éviter les mêmes erreurs.

Tu comprends l'enseignement de chacun d'eux.

Puis, tu assistes au défilé de ta collection d'instants heureux.

Tu t'aperçois que certaines situations agréables se reproduisent régulièrement dans le même enchaînement précis d'événements.

C'est toi qui as trouvé le truc pour que chaque fois ça réussisse.

Tu enregistres les scénarios de réussite, et tu vois pourquoi cela fonctionne.

Puis, tu réfléchis au moyen de parfaire ta méthode.

Tu t'aperçois que tes victoires n'étaient que des demi-victoires et que c'est souvent par manque d'audace que tu n'as pas osé t'emparer de la récompense que tu aurais pu obtenir.

Tu ne te sentais peut-être pas digne de tant de réussite

Si l'école t'a préparé à gérer les difficultés, il aurait aussi fallu qu'elle te prépare à gérer les succès.

Tu peux aller bien plus loin dans les scénarios de réussite.

N'aie pas peur de la victoire

Nage.

Tu continues d'observer tes instants de joie, de plaisir, de bonheur, de tendresse.

Tu constates que, finalement, les instants agréables sont bien plus nombreux que les instants désagréables.

Dans le goulet, les parois roses deviennent rose foncé, puis rouges, puis rouge foncé.

Tout devient plus sombre. Pourpre.

Au bout du tunnel

Tu distingues une fente de lumière.
Elle s'élargit pour devenir un grand losange blanc.
La lumière est de plus en plus forte.
Tu veux faire demi-tour.
Mais deux mains ont surgi qui t'attrapent.
Tu es tiré en avant.
Tu perçois une voix assourdissante.
« Continuez, ça vient ! »
Le losange est bien trop étroit pour te laisser passer.
Ton crâne mou se comprime à l'extrême.
Tu as envie de crier, mais tes poumons sont remplis de liquide.
Tu es dehors, à présent.
La lumière est aveuglante.
Court instant de panique.
Il fait froid.

Des voix crient.

Des gens masqués te regardent.

Tu veux leur hurler de se taire.

De te ficher la paix.

D'éteindre la lumière.

Qu'on te remette là où tu étais.

Dans l'eau.

Avec les dauphins et l'être complémentaire.

Bon sang! Tu commences déjà à oublier son visage.

Le reconnaîtras-tu quand tu seras grand?

Mais tu n'arrives toujours pas à respirer.

Tu es comme un poisson sorti de l'eau qui s'asphyxie.

Tu me demandes pourquoi je ne viens pas à ton secours.

Désolé, là, je ne peux rien faire pour toi.

Comme le dit mon ami,

le roman *La Machine à explorer le temps*,

on ne sait toujours pas jouer

avec le passé.

C'est un instant qui s'est déjà produit.

Je ne peux que t'inviter à y assister.

Tu ne pourras pas changer ta naissance mais tu pourras la voir différemment.

Des mains gantées de caoutchouc te mettent à l'envers,

pendu la tête en bas.

C'est assez désagréable.

On te tape fort dans le dos.

Ah, les brutes !

Moi-même, j'ignorais que vous vous infligiez dès le début de tels désagréments.

Je comprends mieux maintenant que certains d'entre vous deviennent agressifs par la suite...

Tu n'arrives toujours pas à crier.

Tu sens qu'autour de toi la tension monte.

Aujourd'hui, tu connais ton premier stress.

Tu connais aussi ton premier public impatient.

Qu'attend l'artiste pour se mettre à chanter ?

C'est vrai, pourquoi tu n'as pas pleuré tout de suite ?

C'était si pénible que ça cette naissance ?

Quoi? Trop de lumière? Trop de bruit?

Tu sais, à bien y réfléchir, on est tous passés par là.

Tu crois qu'à ma naissance, sur les rotatives offset, il n'y avait pas de lumière et de bruit?

Vas-y. Qu'est-ce que tu attends? Crie!

Pleure!

Crie!

Il faut que ce cri parte du ventre et qu'il sorte comme un geyser.

Aahh!

Mieux que ça. Plus fort!

AAAAAAAAHHHHHHHHH

Ouf! ça y est, tu as réussi.

D'un coup le liquide que tu avais emmagasiné dans tes poumons est expulsé.

C'était ta première ex-pression.

Bienvenue parmi les humains.

Ton père est là qui te tend les bras.

Moment d'émotion.

On t'attrape et on te pose sur le ventre de ta mère qui t'embrasse.

Tu es couvert de baisers gluants.

138

Ça t'aide à supporter le passage du stade de poisson à celui de petit mammifère.
Ça t'aide à supporter de ne pas être
un dauphin.
Tu respires à nouveau.
Tu bats des paupières.
Quelqu'un tranche ton cordon ombilical avec des ciseaux de métal glacé.
On y fait un nœud.
Tu as envie qu'on te raccroche à ta mère.
Mais ils ne t'écoutent pas.
Tu pleures aussi pour ça.

Rencontre avec tes ancêtres

La salle de naissance est tout en longueur et semble s'allonger à perte de vue.
Tu t'aperçois qu'il n'y a pas que l'accoucheur et les sages-femmes.
Une petite foule de gens t'attend.

Tu les regardes.

Tu reconnais certains visages.

Ce sont tes ancêtres.

Au premier rang, tes parents.

Ils t'expliquent pourquoi ils ont désiré t'avoir.

Ils te racontent comment ils ont vécu ta naissance.

Ils te racontent quelques anecdotes que tu ne connaissais pas sur ta prime enfance.

Ils te racontent leur propre jeunesse, leurs réalisations, leurs ambitions, ce qu'ils ont souhaité, ce qu'ils ont réussi, ce qu'ils ont raté, et ce qu'ils espéraient que tu réussisses. Ils te disent pourquoi ils t'aiment.

Et tu t'aperçois que ce n'est pas seulement parce que tu es leur enfant et qu'ils t'apprécient en tant qu'individu à part entière.

Tu les embrasses et les remercies pour tout ce qu'ils ont fait pour toi.

Si tu crois avoir des griefs à leur égard, oublie-les.

Tu leur dois la vie.

140

Si tu te crois meilleur qu'eux, à toi de le prouver avec tes propres enfants.

Derrière eux se trouvent tes quatre grands-parents.

Eux aussi racontent leur histoire.

Comment ils se sont rencontrés et pourquoi ils se sont aimés et mariés.

Tu comprends que tu as hérité d'eux certains traits de caractère précis.

Un de tes grands-pères, le plus sage, te donne un conseil :

« Ne gaspille pas ton énergie dans des choses qui n'en valent pas la peine.

Prends ton temps pour entreprendre ce qui te semble important. »

L'autre grand-père te parle.

Il te dit que tu as le droit d'être égoïste.

« Si tu réfléchis bien, au bout de l'égoïsme, tu t'apercevras que ton intérêt direct est de t'occuper des autres.

À quoi ça t'avancerait d'être tout seul bien dans ta peau entouré de gens qui stressent ? »

Une de tes grand-mères le rabroue.

Son idée, c'est qu'il faut expérimenter chaque situation,

y compris les mauvaises.

Il faut se fourvoyer pour trouver le bon chemin.

Elle te dit, comme moi, de fuir les

« bons conseillers ».

L'autre grand-mère approuve.

« Tu dois faire l'apprentissage de tes erreurs.

Pas moyen d'y échapper.

La pire chose qui puisse t'arriver, c'est d'avoir une vie terne et sans erreurs. »

Derrière eux encore :

Tes huit arrière-grands-parents.

Ils portent le costume de leur époque.

Ils te racontent fièrement les découvertes et les bouleversements de leur vie.

Voici ensuite viennent tes seize arrière-arrière-grands-parents.

De ceux-là, tu as à peine entendu parler.

Enfin, tes trente-deux arrière-arrière-arrière-grands-parents

Tu avances plus vite dans le couloir.
Et tu remontes le temps et ton arbre généalogique.
Maintenant, tes ancêtres sont des gens
de la Renaissance, puis du Moyen Âge,
puis de l'Antiquité,
puis de la préhistoire.
La pièce, qui n'en finit toujours pas de
s'allonger, s'est transformée en caverne.
Tes aïeux sont habillés de peaux de bêtes.
Leurs arcades sourcilières sont proémi-
nentes.
Tu as l'impression qu'ils te sont étrangers et
pourtant un peu de leur sang coule dans tes
veines.
Ils te regardent avec bienveillance, mais
n'arrivent pas à s'exprimer dans un langage
intelligible.
Alors tu discutes avec leur esprit.
Tu discutais par télépathie avec les dauphins, alors pourquoi pas avec tes ancêtres ?
Ils te montrent ce qui les fascine :
le feu qu'on allume avec des pierres, les arcs
et les flèches.

Tu te dis qu'en jouant avec les arcs, toi aussi, dans ton enfance, tu reproduisais l'histoire de l'humanité.

Ils te parlent de leur vision du monde.

Pour eux le mystère, c'est ce qu'il y a au-delà de l'horizon.

Ils te parlent de leurs préoccupations.

La peur des loups.

La peur des ours.

La peur de mourir de faim s'ils ne trouvent pas de gibier demain.

La peur de l'orage.

La peur de la tribu rivale
qui tente toujours des raids en hiver
pour voler les provisions.

Ta présence tout à coup les inquiète.

Ils te demandent comment tu es venu.

Tu dis que c'est grâce au « Livre du Voyage ».

Ils te demandent ce qu'est un livre.

Alors, tu désignes un symbole par terre.

Ils gravent des symboles similaires au tien sur le sol.

Tu corriges leurs erreurs.

En faisant voyager ton esprit dans le passé,

tu es en train de... lancer les prémices de l'écriture !

Et donc de donner la possibilité à ce livre d'exister !

Quel paradoxe vertigineux...

Tu recules et tu vois ton arbre généalogique.

Tu es le tronc.

Au-dessous de toi, il y a des enchevêtrements de racines.

Au-dessus, des branchages à foison.

Là-haut ces feuilles sont tes enfants.

Leurs enfants.

Leurs petits-enfants.

L'arbre de ta lignée est lui-même une racine qui se mêle à des milliards d'autres racines pour former l'arbre de l'Humanité.

Les nœuds dans l'écorce des branches sont les crises qui rythment l'évolution de l'espèce.

Ce sont les guerres, les migrations, les inventions, les explorations, les conflits sociaux, les crises économiques, les coups d'État.

Revenons voir tes aïeux.

La pièce, de salle d'accouchement, s'était

transformée en caverne, elle s'ouvre maintenant sur la forêt.

Te voici au milieu des frondaisons.

Tu vois un ancêtre qui ne se tient plus sur
deux pattes, mais sur quatre.

Il est poilu, ressemble à un singe.

Tu lui caresses la tête, tu essaies de lui ser-
rer la patte.

Écoute son esprit.

Il te dit que les félins qui viennent voler
les enfants quand ceux de sa horde
dorment dans les branches lui causent bien
des soucis.

Il a peur de ne pas trouver à manger.

Il a peur que demain le soleil ne revienne pas.

Tu continues sur cette branche.

Maintenant les êtres qui sont devant toi
n'ont plus rien d'humanoïde.

Ce bisaïeul ressemble à une musaraigne
craintive.

Et celui-là à un lézard à la peau écailleuse.

Dans son regard, tu ne lis plus rien de fami-
lier, dans son esprit il n'y a plus que deux
préoccupations : « où vais-je trouver à man-

ger ? » et : « où vais-je trouver une femelle ? »

La longue branche descend vers l'océan où tu découvres ton ancêtre poisson.

Tu continues et tu tombes sur une sorte d'algue bleue.

La télépathie ne t'est d'aucune aide, les éléments ne pensent pas, ils vivent.

Ne les méprise pas.

Penser à rien c'est quelque chose dont tu n'es même pas capable.

Il y a toujours une pensée dans ta tête.

Ne serait-ce que ta volonté de ne penser à rien...

Après l'algue bleue, tu tombes sur un être unicellulaire.

Tu avances.

Maintenant ce n'est même plus une cellule, c'est une molécule d'eau.

Puis un atome d'hydrogène.

Puis un quark.

Et avant d'être quark ?

Il était énergie pure.

Il était Lumière.

Chaleur.

Tu as dans ton sang le souvenir du Big-Bang originel.

Perçois-le.

Voilà d'où tu viens du plus profond de ton être.

D'un grand feu d'artifice qui a éclaté un jour dans l'univers.

Tu observes le Big-Bang de l'intérieur.

Tu lui demandes pourquoi tu existes plutôt que rien.

Tu lui demandes pourquoi ta conscience, simplement en me lisant, est capable de se projeter jusqu'ici.

Et le Big-Bang, gigantesque explosion, t'explique pourquoi tu es né, toi en particulier.

Écoute bien.

Si tu le veux, reste un peu dans le Big-Bang originel.

Nage dans la lumière fossile.

Cette lumière est aussi l'un de tes ancêtres
Maintenant que tu sais cela, tu es prêt pour une autre découverte.

Suis-moi. Revenons sur Terre.

148

Rencontre avec ta planète

Tu vois ta planète de haut.
La Terre, qui tout à l'heure n'avait pas pu se
faire comprendre, te parle.
Elle a toujours cette voix grave et lente.
Désormais intelligible, elle émet :
« Tu as enfin compris.
Nous avons un ancêtre commun :
le Big-Bang. Nous sommes
des cousins éloignés... »
Elle te narre son histoire.
Jadis, elle a été nuage de poussières.
Le nuage de poussières a formé un conglo-
mérat.
Puis une sphère.
Gaïa te dit que, dès lors, elle était une sorte
d'ovule en attente.

Elle a été fécondée par une météorite venue des confins de l'univers.

Celle-ci, petit caillou vagabond et solitaire, était un spermatozoïde de l'espace.

Il possédait quelques acides aminés.

Cela a suffi pour créer une alchimie, prémices de la vie.

Gaïa t'ouvre alors son imaginaire de planète.

Et, tout d'un coup, tu sens ce que sent la Terre.

Ferme les yeux.

Tu entres en empathie avec elle.

Elle te dit sa grande préoccupation : sa place au sein du système solaire.

Chacun a des soucis à son échelle.

Elle est parfois gênée par Mercure et Vénus qui se mettent sur sa ligne d'éclairage solaire.

Elle se sent toute petite par rapport à Jupiter ou à Saturne.

Histoire de famille.

Son père est le soleil, et elle se sent en rivalité avec les autres planètes sœurs.

Rencontre avec ta galaxie

La Terre t'ouvre à l'esprit du système solaire.

Ton horizon spirituel s'élargit.

Tu sens, toi le simple humain, ce que pense le système solaire.

Il se sent vieux.

Les ellipses de ses planètes se déforment.

Son champ magnétique est perforé de météorites.

Il se sent refroidir.

Il se demande : « Où va la galaxie ? »

Il se trouve trop en périphérie sur ce troisième bras de la Voie lactée.

Il craint, si la galaxie ralentit son tourbillon, de se retrouver éjecté dans le vide de l'espace.

Alors, tu te mets au centre de la galaxie.

Des millions d'étoiles palpitantes sont autour de toi.

Le point commun à tous ces objets de l'espace, c'est que tout tourne lentement.

Plus on se rapproche du centre de la galaxie, plus ça tourne vite.

Au centre, tu t'aperçois qu'il y a un vortex, un trou noir.

Cela ressemble beaucoup à une bouche qui aspire tout.

Les étoiles les plus proches y sont happées. En s'enfonçant dans ce trou noir, elles lancent un chant d'adieu et émettent des reflets de lumière moirés, des rayonnements dans toutes les gammes d'onde.

Toi, tu n'as rien à craindre.

Tu te places au-dessus du trou noir.

Et toute la galaxie tourne autour de toi.

Tu mets tes bras en spirale.

Tu lances ton bassin, tes épaules et tes bras suivent.

Ta tête s'abandonne mollement en arrière.

Comme le font les derviches tourneurs.

Tu danses au centre de ta galaxie.

Et tu tournes, tournes, tournes.

Jusqu'à l'ivresse.

Tes bras se prolongent pour devenir les bras de la galaxie.

Tu brasses les étoiles comme autant de grains de lumière à moudre.

Allez, embrasse l'univers entier en élargissant encore ton esprit.

L'univers te semble au début cubique, puis sphérique, mais, à bien y réfléchir, il est conique.

Alors, tu remontes vers le sommet du cône.

Et à la pointe, tu retrouves l'explosion originelle.

Coïncidence.

Au bout du temps, il y a le Big-Bang.

Aux confins de l'espace il y a encore le Big-Bang.

Est-ce donc la limite de l'univers explorable ?

Demande-le directement à cette lumière.

Elle te répond que tu n'as exploré qu'un seul univers espace-temps.

Elle te suggère d'augmenter la perception

de tes sens extérieurs et de tes sens inté-
rieurs pour en visiter d'autres.

Tu lui réponds que tu es prêt.

Alors, tes horizons, qui se sont bien
élargis depuis le début du voyage, se
surdimensionnent.

Tu croyais faire un grand voyage.

Il est maintenant d'une taille au-delà de
toute description.

Mieux, tu perçois des univers parallèles, en
dehors des dimensions que tu connais.

Ces univers se touchent comme des bulles
de savon.

Ces univers ont des différences d'échelle
faramineuses.

Ton univers est peut-être tout entier
compris dans un seul caractère d'un livre
appartenant à une dimension supérieure.

Ton univers est peut-être compris dans un
point comme celui-ci :

Et, dans ce point, il y a peut-être des infini-
tés de minuscules univers.

Avec à l'intérieur des galaxies et des planètes miniatures.

Où des gens ont peut-être découvert des choses que nous ignorons encore.

Cela n'a rien d'effrayant, au contraire, car tu es non seulement branché sur l'Univers, mais tu es aussi branché sur quelque chose qui le transcende.

La vie.

Elle est la grande force de toutes les dimensions de l'Univers.

La vie.

Tu sens la pulsion de vie en toi.

C'est la vie qui a voulu le Big-Bang.

C'est la vie qui a créé l'Univers.

C'est la vie qui a créé la Terre.

C'est la vie qui transforme la graine en arbre.

C'est la vie qui fait qu'une étreinte amoureuse donnera un bébé.

Apprécie d'être vivant.

Je te l'avais dit que c'était simple.

Bon, mais ce n'est pas tout.

En bas, ton corps matériel commence à avoir des crampes.

155

Revenons sur Terre.

Non, n'insiste pas.

C'est suffisant pour aujourd'hui.

Voilà, ta journée de voyage doit se clore.

Viens, on rentre.

Retour dans ton réel

Tu reprends ton apparence d'oiseau transparent.

Vas-y, bats des ailes, plane, glisse vers les nuages.

Suis-moi.

Je t'emmène vers le rayon de lumière qui part de ton nombril.

Allons, on a assez traîné, le livre en bas arrive à sa fin, il faut que tu sois revenu dans ton corps au moment où tes doigts tourneront la dernière page, et trouveront le mot « au revoir ».

Comment ça tu veux encore planer ?

Allez viens, tu sais bien que tu pourras relire « Le Livre du Voyage » quand tu le voudras, et même autant de fois que tu le souhaiteras.

Je t'appartiens.

Mais c'est pour toi qu'il faut rentrer.

Pour la nostalgie.

Tu sais, vivre des aventures originales, c'est bien.

Mais se rappeler qu'on a vécu une aventure, ce n'est pas mal non plus.

C'est un peu comme les lasagne réchauffées le lendemain.

C'est encore meilleur.

Regarde en bas.

Tu reconnais l'endroit ?

Tu repasses devant ton territoire et tu revois ton refuge.

Tu survoles les continents, les montagnes et les océans.

Tu descends un peu.

Des foules de gens courent dans tous les sens, telles des fourmis, et tu sais que c'est ton espèce.

L'espèce humaine qui essaie de faire mieux que ses ancêtres.

Un instant, tu visualises ton espèce comme une horde immense.

Une horde à la recherche de la lumière.

Peut-être par nostalgie du Big-Bang dont subsistent encore d'infimes traces en elle.

Une horde qui veut quitter son animalité pour atteindre quelque chose d'inconnu et de plus spirituel que tu as approché lors de ton voyage dans les quatre éléments.

Tu descends lentement.

Te voici au-dessus de ta maison.

Un rayon de lumière part du toit.

C'est ton rayon.

Tu t'y accroches et tu te laisses descendre comme s'il s'agissait d'une liane.

Tu franchis les étages, les voisins, les planchers et tu débouches dans le lieu où tu me lis.

Le « type que ton esprit habite » tourne les pages.

C'est amusant comme sensation, hein ?

Viens, esprit de lecteur,

Retournons tous deux dans nos coquilles habituelles.

Tu connais la procédure ?

Voilà ton corps.

Voilà ton esprit.

Il suffit de les réunir.

Tu observes une dernière fois ton corps de l'extérieur.

Ton corps est comparable à une nation remplie de pouvoirs qui ne se gênent pas les uns les autres.

Il n'y a pas de rivalité entre ta main droite et ta main gauche.

Tu es toi-même un exemple de politique d'entente et de solidarité entre des cellules différentes et pourtant complémentaires.

Et, après ce voyage, ton corps est parfaitement en équilibre interne et externe.

Tu te sens bien.

Détendu. Plus énergique.

Plus calme. Plus serein.

C'est pour cela que tu peux revenir sans crainte dans ton corps désormais apaisé.

Ton esprit revient dans ta chair comme un

voleur s'introduit par la cheminée dans une maison.

Il reprend le contrôle de l'être humain que tu étais avant le Voyage.

Bats des paupières.

Déglutis.

Voilà, tu es en train de me lire.

Ta respiration devient un peu plus ample.

Souviens-toi précisément de chaque étape de ce voyage imaginaire.

Ta visite du monde de l'Air.

Celle du monde de la Terre.

Du monde du Feu.

Du monde de l'Eau.

Tu te souviens de la phrase qui t'était desti-née dans ton livre.

Tu te souviens de ta réponse.

Ta respiration devient un peu plus pro-fonde.

Tu te sens comme lorsque tu te réveilles après une nuit où tu as fait de beaux rêves.

Mais ce n'était pas un rêve.

C'était une escapade de ton esprit.

Tu te souviens de ton symbole.

Ta respiration devient plus ample.

Ton cœur s'accélère.

Tu déglutis encore.

Tu reprends conscience de la pièce où tu te trouves

et de ce que tu es en train de faire.

Tu lis.

Si tu ne te rappelles plus bien dans quel corps ton esprit habite, prends une glace et va redécouvrir ton visage.

Puis reviens.

Tu me regardes avec mes pages blanches rectangulaires couvertes de petits caractères.

Arrête de me fixer comme ça, ça m'intimide.

Tu te demandes ce qu'il s'est passé au juste ? Il s'est passé que je suis un livre qui a le pouvoir de te faire faire des choses extraordinaires.

Mais ces choses extraordinaires c'est toi, et toi seul, qui les as accomplies.

Au revoir.

En écrivant *Le Livre du Voyage*, les musiques suivantes m'ont accompagné :

— *I Wish You Were Here*, Pink Floyd.
— *Concerto en* do *pour flûte piccolo et orchestre*, Antonio Vivaldi.
— *Mike Oldfield Incantation*, Mike Oldfield.
— *Fugazi*, Marilion.
— *Symphonie des planètes*, Gustave Holst.
— *Book of the Rose*, Andreas Vollenweider.
— *Close to the Edge*, Yes.
— *Super's Ready*, Genesis.
— *Et le disque que* Loïc Etienne *a composé exprès pour ce livre :* « *Musique du Livre du Voyage* », *Editions Concord.*

Site Internet de l'auteur : bernardwerber.com

Composition réalisée par EURONUMÉRIQUE

Imprimé en France sur Presse Offset par

BRODARD & TAUPIN

GROUPE CPI

La Flèche (Sarthe).
N° d'imprimeur : 7187 – Dépôt légal Édit. 11347-05/2001
LIBRAIRIE GÉNÉRALE FRANÇAISE - 43, quai de Grenelle - 75015 Paris.

ISBN : 2 - 253 - 15018 - 5   31/5018/2